SÓCRATES
JESUS
BUDA

Frédéric Lenoir

SÓCRATES JESUS BUDA

Três mestres de vida

Tradução
Véra Lucia dos Reis

4ª reimpressão

Grafia atualizada segundo o Acordo Ortográfico da Língua Portuguesa de 1990, que entrou em vigor no Brasil em 2009.

Título original
Socrate, Jésus, Bouddha

Capa
Andrea Vilela de Almeida

Imagem de capa
Andrew Hefter / Getty Images

Revisão
Bruno Fiuza
Raquel Correa
Joana Milli

CIP-Brasil. Catalogação na fonte
Sindicato Nacional dos Editores de Livros, RJ

L586s
Lenoir, Frédéric
Sócrates, Jesus, Buda: três mestres de vida / Frédéric Lenoir; tradução Véra Lucia dos Reis. — 1ª ed. — Rio de Janeiro: Objetiva, 2011.

Tradução de: *Socrate, Jésus, Bouddha*
ISBN 978-85-390-0177-4

1. Sócrates - Ensinamentos. 2. Jesus Cristo - Biografia. 3. Jesus Cristo - Ensinamentos. 4. Buda - Ensinamentos. 5. Meditações. 6. Espiritualidades. I. Título

10-5397 CDD: 248.4
CDU: 2-584

[2021]

EDITORA SCHWARCZ S.A.
Praça Floriano, 19 — sala 3001 — Cinelândia
20031-050 — Rio de Janeiro — RJ
Telefone: (21) 3993-7510
www.companhiadasletras.com.br
www.blogdacompanhia.com.br
facebook.com/editoraobjetiva
instagram.com/editora_objetiva
twitter.com/edobjetiva

O importante não é viver,
mas viver segundo o bem.
SÓCRATES

Há mais alegria em dar
do que em receber.
JESUS

Que todos os seres sejam felizes.
Nascidos ou ainda por nascer,
que sejam todos
perfeitamente felizes.
O BUDA

Sumário

PRÓLOGO

SER OU TER?

É uma questão tão antiga quanto a história do pensamento. Contudo, ela atualmente se apresenta com uma sutileza bastante particular. De fato, estamos mergulhados numa crise econômica de rara amplitude, que deveria questionar nosso modelo de desenvolvimento baseado no contínuo crescimento de produção e consumo. Como não sou economista, não poderia me pronunciar a respeito das causas e das consequências da situação atual, porém, do ponto de vista filosófico, pressinto que ela pode ter um efeito positivo, apesar das dramáticas consequências sociais de que muitos padecem e que todos observamos.

A palavra "crise", em grego, significa "decisão", "julgamento", e remete à ideia de um momento de convergência no qual "é necessária uma resolução". Atravessamos um período crucial no qual devem ser feitas escolhas fundamentais, sem as quais a dificuldade só vai piorar, talvez cíclica e inevitavelmente. As escolhas devem ser políticas, a começar por uma estabilização indispensável e um enquadramento mais eficaz e mais justo do sistema financeiro desatinado no qual vivemos hoje. Elas também podem estar mais diretamente ligadas aos cidadãos, no que diz respeito a uma reorientação da demanda por meio da compra de bens mais ecológicos e mais solidários. A saída duradoura da crise dependerá certamente de uma verdadeira disposição para se mudar as regras do jogo financeiro e dos nossos hábitos de consumo. Mas, sem dúvida, não será suficiente. Nosso estilo de vida, baseado no crescimento constante do consumo, é que deverá se modificar.

Desde a Revolução Industrial, principalmente a partir dos anos 1960, vivemos, de fato, numa civilização que faz do consumo o motor do progresso. Motor não apenas econômico, mas também ideológico: progresso é possuir mais. Onipresente em nossas vidas, a publicidade não faz outra coisa senão enunciar essa crença de todas as formas possíveis. Pode-se ser feliz sem o carro da moda? O último modelo de aparelho de DVD ou de telefone celular? Uma televisão e um computador em cada cômodo? Essa ideologia é, por assim dizer, raramente questionada: enquanto é possível, por que não? E a maioria dos indivíduos do planeta hoje em dia cobiça esse modelo ocidental que faz da posse, da acumulação e da troca permanente de bens materiais o sentido último da existência. Quando esse modelo engasga, quando o sistema descarrila; quando parece que não poderemos continuar a consumir indefinidamente nesse ritmo desenfreado, quando os recursos do planeta são limitados e se torna urgente partilhar; quando parece que essa lógica não é apenas reversível, mas também produz efeitos negativos a curto e a longo prazo, podemos, finalmente, nos fazer as perguntas certas. Podemos nos interrogar sobre o sentido da economia, sobre o valor do dinheiro, sobre as reais condições do equilíbrio de uma sociedade e da felicidade individual.

Sob esse aspecto, acredito que a crise possa e deva ter um impacto positivo. Pode nos ajudar a reerguer nossa civilização, pela primeira vez transformada em planetária, baseada em outros critérios que não os do dinheiro e do consumo. Esta crise não é simplesmente econômica e financeira, mas também filosófica e espiritual: o que faz o homem feliz? O que pode ser considerado um progresso real? Quais são as condições de uma vida social harmoniosa?

As tradições religiosas tentaram fornecer respostas a essas perguntas fundamentais. Mas por terem se fechado em posturas teológicas e morais extremamente rígidas, por também nem sempre serem modelos de virtude e de respeito pelo ser humano, as religiões, em particular as monoteístas, não falam mais a muitos de nossos contemporâneos. É preciso observar que, atualmente, inúmeros conflitos e muitas violências exercidas sobre as pessoas ainda são, direta ou indiretamente, efeito das religiões. A inquisição medieval ou o governo islâmico do Irã atual são exemplos da impossível reconciliação entre humanismo e teocracia. E, para além do modelo teocrático, pelo mundo afora, as instituições religiosas esforçam-se para responder à demanda de sentido dos indivíduos, oferecendo-lhes mais dogma e regra.

A questão sobre a verdadeira felicidade, a vida justa, o sentido da existência, se apresentou a mim bastante cedo. Eu era adolescente. A leitura dos diálogos de Platão foi uma verdadeira revelação. Neles, Sócrates falava do autoconhecimento, da busca pelo verdadeiro, pelo belo, pelo bom, pela imortalidade da alma. Ele abordava sem rodeios perguntas que me atormentavam. E o fazia de um modo que me parecia convincente, ao contrário das respostas prontas e insatisfatórias do catecismo de minha infância. E depois, alguns anos mais tarde, eu devia ter uns 16 anos, foi a descoberta da Índia e particularmente de Buda. Diversas obras de iniciação e romances — *Sidarta*, de Hermann Hesse, ou *A Terceira Visão*, de Lobsang Rampa — me levaram a uma pequena obra notável: *L'Enseignement du Bouddha d'après les textes les plus anciens* (O ensinamento do Buda a partir dos textos mais antigos), de Walpola Rahula. Nova descoberta: a mensagem do Buda me tocava tanto quanto a de Sócrates por sua precisão, sua profunda coerência, sua racionalidade, sua exigência cheia de doçura. Eu poderia ter parado por ali, de tanto que aqueles mestres alimentaram meu espírito. Contudo, eu logo iria ter um terceiro encontro decisivo: aos 19 anos, abri os Evangelhos pela primeira vez. Deparei-me por acaso com o Evangelho segundo João, e foi um choque profundo. As palavras de Jesus se dirigiam ao meu intelecto, e também tocavam meu coração. Avaliei, então, o desacordo, por vezes abissal, entre suas palavras de incrível audácia, que libertam o indivíduo, responsabilizando-o, e o discurso moralizante de tantos cristãos, que aprisionam o indivíduo, culpabilizando-o.

Há mais de 25 anos, Buda, Sócrates e Jesus são meus mestres de vida. Aprendi a estudá-los, a ter contato com seus pensamentos, a meditar seus atos, suas diferenças e pontos em comum. Estes últimos me pareciam afinal mais importantes. Porque, apesar da distância geográfica, temporal e cultural que os separa, suas vidas e seus ensinamentos coincidem nos pontos essenciais. São esse testemunho e essa mensagem, que me ajudam a viver há tantos anos, que tive vontade de partilhar. Estou convencido de que eles respondem às perguntas e às necessidades mais profundas da crise planetária que atravessamos.

Porque a verdadeira pergunta que se apresenta a nós é a seguinte: o ser humano pode ser feliz e viver em harmonia com outrem numa civilização inteiramente construída em torno do ideal do "ter"? Não, respondem vigorosamente Buda, Sócrates e Jesus. O dinheiro e a aquisição de bens materiais são apenas meios, certamente preciosos, mas nunca um fim em si. O desejo de posse é, por natureza, insaciável. E ele desperta frustração e violência. O ser humano é feito de tal forma que deseja continuamente possuir o que não tem, mesmo se tiver de tomá-lo à força de seu vizinho. Ora, uma vez saciadas as necessidades materiais básicas — alimentar-se, ter um teto e com o que viver decentemente —, o homem precisa entrar em uma lógica diferente da do "ter" para se sentir satisfeito e se tornar plenamente humano: a do "ser". Deve aprender a se conhecer e a se controlar, a apreender o mundo que o cerca e a respeitá-lo. Deve descobrir como amar, como viver com os outros, como administrar suas frustrações, conquistar a serenidade, superar os sofrimentos inevitáveis da vida, mas também preparar-se para morrer com os olhos abertos. Porque se a existência é um fato, viver é uma arte. Uma arte que aprendemos interrogando os sábios e aperfeiçoando-nos.

Sócrates, Jesus e Buda nos ensinam a viver. O testemunho de suas vidas e o ensino que eles propõem parecem-me universais e de uma surpreendente modernidade. A mensagem deles centra-se no ser individual e em seu crescimento, sem jamais negar a necessária inserção no corpo social. Sugere uma sábia dosagem de liberdade e de amor, de autoconhecimento e de respeito pelo outro. Embora se enraíze de diversas formas em bases de crenças religiosas, ela nunca é friamente dogmática: sempre tem sentido e recorre à razão. E também fala ao coração.

Esta obra se divide em duas partes. A primeira propõe uma biografia cruzada desses três mestres de vida. Escrevi-a de modo didático, mais como historiador do que como discípulo, com distanciamento, e citando as mais confiáveis informações. De fato, parece-me fundamental não falar de vidas lendárias, idealizadas, mas de existências bastante reais — tanto quanto possível, no que diz respeito às fontes de que dispomos —, e veremos que isso não é simples! Na segunda parte, apresento cinco grandes capítulos temáticos que resumem os pontos-chave do ensinamento: a crença na imortalidade da alma, a busca da verdade, da liberdade, da justiça e do amor. Muitos outros elementos de seus respectivos ensinamentos poderiam ter sido transmitidos, mas fiz uma escolha; ela é, portanto, arbitrária, mas sempre atenta à coerência de seus pensamentos, o que evidentemente me leva com frequência a explicar divergências de concepção sobre um mesmo tema. Pois um sincretismo fácil não é mais esclarecedor do que a recusa de associar, por escrúpulo religioso ou universitário, três pensamentos que repercutem uns nos outros em pontos essenciais, começando pela constante preocupação de falar a qualquer ser humano dotado de coração e de razão que se interroga sobre o enigma e o sentido da existência.

Entre os pontos comuns de suas vidas, um é bastante singular e merece de saída ser ressaltado: Buda, Sócrates e Jesus não deixaram nada escrito. No entanto, muito provavelmente, os três sabiam ler e escrever, como era usual entre os jovens de suas épocas e de seus meios — mesmo que, na Índia do Buda, no século V a.C., o emprego da língua escrita fosse muito reduzido, restringindo-se às trocas comerciais e administrativas. O desejo de se limitarem a um ensinamento oral sem dúvida não é inocente. O ensinamento que transmitem é uma sabedoria de vida. Ela se transmite de modo vivo, pela força do exemplo, da precisão do gesto, da palavra viva, da entonação da voz. Ela se transmite, antes de tudo, a um círculo estreito de discípulos, embora Jesus gostasse de falar às multidões. Transmite-se a homens e mulheres que, em alguns casos, abandonaram tudo para seguir os passos daqueles que consideram mestres de sabedoria, e que se empenharão em transmitir sua vida e sua palavra. Alguns desses discípulos escreveram, outros continuaram a transmitir um ensinamento oral até que discípulos mais afastados registrassem seu testemunho.

Foi a partir desses textos mais antigos que tentei retranscrever aqui a vida e o pensamento de nossos três sábios. Procurei citar, na medida do possível, esses textos que permitem ouvir a voz longínqua de Sócrates, Jesus e Buda. O leitor que ainda não teve a oportunidade de ler os sutras budistas, os diálogos de Platão, ou os Evangelhos, poderá assim se confrontar com os próprios textos e, desse modo, com as palavras que lhes são atribuídas e que ainda ressoam tão fortemente em nossos ouvidos, desde que saibamos escutá-las.

Buda, Sócrates e Jesus são os fundadores do que eu chamaria de "humanismo espiritual". O filósofo Karl Jaspers dedicou-lhes o primeiro tomo de sua história da filosofia (acrescentando Confúcio) e os considera "aqueles que deram a medida do humano".* O que pode haver de mais necessário e atual diante da urgência de reconstrução de uma civilização que se tornou planetária? Um planeta excessivamente dilacerado entre uma visão puramente mercantil e materialista de um lado, e um fanatismo e um dogmatismo religioso de outro. Duas tendências aparentemente contrárias e que, não obstante, têm tudo para levar o mundo ao caos, mantendo o ser humano na lógica do "ter", da obediência infantilizante e

* Karl Jaspers, *Les grands philosophes*. Tome 1 (1956) [Os grandes filósofos. Tomo 1], edição de bolso, 1989, p. 47.

da dominação. Estou convencido de que apenas a busca do "ser" e da responsabilidade — individual e coletiva — pode nos salvar de nós mesmos. É o que nos ensinam, há mais de dois milênios, cada um a seu modo, Sócrates, o filósofo ateniense, Jesus, o profeta judeu palestino, e Sidarta, chamado Buda, o sábio indiano.

Primeira parte

Quem são eles?

1

Como os conhecemos?

Eles realmente existiram?

Buda, Sócrates e Jesus realmente existiram? A pergunta pode parecer estranha, até mesmo chocante, pois a herança dos três é muito importante. Todavia, essa pergunta é tão legítima quanto pertinente. Ninguém contesta a profunda marca que esses três personagens deixaram na consciência coletiva de grande parte da humanidade. Mas podemos ter absoluta certeza de sua existência histórica? Não falo aqui da veracidade dos atos e dos propósitos que lhes são atribuídos: é uma questão que examinaremos adiante. Não, aqui se faz outra pergunta mais radical: temos provas indiscutíveis de que eles tenham mesmo existido em carne e osso? A resposta é tão imprevisível quanto a pergunta: não.

Na verdade, não existe nenhuma prova definitiva da existência histórica deles. Aquele a quem chamamos de "o Buda", título que significa "o Despertado", teria vivido no norte da Índia há 2.500 anos. O grego Sócrates teria vivido em Atenas, há aproximadamente 2.300 anos. Jesus teria nascido na Palestina há pouco mais de 2 mil anos. Nem seus túmulos nem seus ossos foram conservados; não existe nenhuma moeda, nenhum traço arqueológico que lhes sejam contemporâneos e que possam atestar sua existência ou validar os acontecimentos de suas vidas, como foi o caso de grandes monarcas, tais como Alexandre, o Grande, ou Júlio César. Eles mesmos nada escreveram, e os textos que contam suas vidas são principalmente obras de discípulos e foram redigidos alguns anos depois da morte, no caso de Sócrates; alguns decênios depois, no caso de Jesus; vários séculos depois, no caso de Buda. Na ausência de traços arqueológicos e de testemunhos históricos variados e concordantes, os historiadores não podem, pois, afirmar com certeza absoluta a existência histórica desses três personagens. Contudo, todos concordam em reconhecer a existência histórica de Sócrates, de Jesus e de Buda como "altamente provável". E isso, mais uma vez, apesar da ausência de provas tangíveis dessa existência, de decretos assinados de próprio punho, de traços palpáveis que teriam diretamente legado à posteridade. Por quê?

A hipótese de sua não existência histórica cria, efetivamente, mais problemas do que a da realidade de sua existência. Portanto, foi principalmente raciocinando pelo absurdo que os historiadores chegaram à conclusão de que esses três personagens realmente existiram. Se eles fossem mitos, como explicar que aqueles que transmitiram sua mensagem tenham sido tão impregnados por sua personalidade, por vezes a ponto de sacrificar suas vidas, como foi o caso da maioria dos apóstolos de Jesus? Dá-se menos facilmente a vida por um mito do que por um personagem real com quem se manteve laços afetivos a toda prova. Os Evangelhos, que narram a vida de Jesus, demonstram o amor e a intensa admiração que os discípulos tinham por ele ele. Percebe-se também nas narrativas de Platão, o principal discípulo de Sócrates, todo o amor que ele tinha por seu mestre. Seus textos não são em nada desencarnados e comprovam uma emoção muito humana, uma simpatia quase palpável. Escritas vários séculos depois da morte do mestre, as vidas do Buda não têm o mesmo sabor e o perfume de autenticidade do testemunho direto. Mas a mesma questão se apresenta ao historiador: como explicar que gerações de homens e de mulheres tenham consagrado suas vidas inteiramente a seguir os passos de um homem que não teria existido? Indiscutivelmente, houve um acontecimento maior que abalou Pedro, Platão, Ananda e tantos outros depois deles. Esses discípulos próximos ou distantes chamam esse acontecimento de "Jesus", "Sócrates" e "Buda". Que eles tenham retransmitido fielmente a palavra de seus mestres é outra questão a qual voltarei. Mas não há dúvida de que suas vidas foram marcadas por algo tangível, por uma voz, por um discurso, por gestos que emanavam de "alguém". Inicialmente, é a memória oral e, em seguida, a escrita que nos legaram o nome desse "alguém".

A ausência de indícios arqueológicos concretos da vida desses três personagens se explica pelo fato de que nenhum deles detinha poder político. Na longínqua Antiguidade, apenas os monarcas e os governantes podiam deixar um vestígio para a posteridade, mandando gravar moedas com sua efígie, ou decretos na pedra, e edificando imponentes monumentos funerários. A história imediata era a dos poderosos deste mundo. Ora, nem Buda, nem Sócrates, nem Jesus eram poderosos, longe disso. Eles viveram de forma simples, tiveram em vida um reconhecimento relativamente limitado, e não deixaram nenhuma obra escrita de próprio punho. As autoridades públicas da época não tinham motivo para transcrever nos anais oficiais o nome e a vida daquele asceta que pregava a extinção do desejo, daquele filósofo provocador, daquele jovem judeu que anunciava a vinda do reino de Deus. Os três ensinavam a renúncia às ilusões deste mundo, e o papel deles na sociedade era secundário. Levando-se em conta os parcos recursos financeiros e a irrisória influência que tinham, seus discípulos, embora convencidos da grandeza moral e espiritual de seus mestres, não tinham os meios para lhes erguer monumentos. O único modo de transmitir a memória deles foi a comunicação oral e, posteriormente, a escrita. Esses testemunhos, que não cessaram de se propagar em círculos cada vez maiores, construíram, ao longo dos séculos, a inacreditável celebridade de Sócrates, Jesus e Buda. Poderíamos dizer que esse sucesso, como atualmente o de um filme de cinema, não se fez por um grande lançamento midiático, mas pela força, lenta e eficaz, do boca a boca. Como suas vidas e suas palavras impressionaram tão fortemente aqueles que os acompanharam, elas não cessaram de ser transmitidas com fervor para chegar até nós. O que, afinal, é o melhor indício da realidade da existência dos três.

Por meio de que fontes e de que testemunhos suas vidas e mensagens passaram à posteridade é o que convém agora ser analisado.

As fontes

O essencial que sabemos sobre eles foi relatado por testemunhas de suas vidas. Especialmente por discípulos que, apesar do caráter elogioso do retrato que construíam, parecem ter tido a intenção de transmitir um testemunho fiel, mostrando às vezes os mestres com suas qualidades e seus defeitos, assim como seus temperamentos de natureza por vezes irregular. Os mais importantes trabalhos de pesquisa e de interpretações posteriores foram realizados a partir de materiais transmitidos por esses discípulos, testemunhas diretas ou indiretas de seus percursos. No entanto, alguns indícios exteriores a esses círculos de fiéis estão presentes, por mais tênues que sejam, para confirmar a historicidade dos personagens e sua inscrição na história.

Durante os últimos cinquenta anos, os trabalhos dos historiadores e estudiosos da Bíblia obtiveram consideráveis progressos. As vidas de Buda, Sócrates e Jesus, ou mais exatamente de partes de suas vidas, puderam ser reconstituídas com um olhar crítico, com base em critérios científicos de autenticidade, distantes dos aspectos lendários ou dos ingredientes de fé que os parasitavam. Essa observação diz respeito principalmente a Buda e a Jesus, fundadores de correntes espirituais que se tornaram religiões. Cabe também a pergunta sobre a confiabilidade dos testemunhos sobre os quais trabalhamos atualmente. Os discípulos, graças aos quais conhecemos esses mestres, foram fiéis tradutores do pensamento que eles nos transmitiram? Evidentemente, jamais teremos absoluta certeza, mesmo que determinadas semelhanças confirmem a coerência.

Como Buda viveu num tempo distante e numa sociedade em que a escrita era pouco difundida, dele dispomos de menos indícios históricos próximos e confiáveis. Segundo tudo indica, Buda nasceu e viveu na Índia no século VI a.C. Os primeiros vestígios escritos, referindo-se não tanto a ele, mas aos seus ensinamentos, datam de aproximadamente dois séculos e meio após sua morte. Não se trata de textos, mas de estelas reais: estelas do rei Ashoka que reinou sobre grande parte do subcontinente indiano, englobando o atual Afeganistão até Bengala, entre 269 e 232 a.C. aproximadamente.

Inicialmente soberano tirânico, Ashoka converteu-se à lei budista (dharma) quando tinha pouco mais de 20 anos. A partir daí, ele mandou gravar em estelas, em paredes de cavernas, em colunas e blocos de granito sentenças proclamando sua aversão à violência e sua adesão aos ensinamentos do dharma. Essas sentenças são frequentemente acompanhadas de um desenho: uma roda que simboliza a roda do dharma, a lei posta em movimento pelo Buda. Nesses éditos, gravados e proclamados por todo o seu reino, ele apela para a adoção das regras morais inspiradas pelos preceitos de Buda: "O dom (do dharma) consiste em tratar com justiça escravos e servidores, em obedecer a pai e mãe, sacerdotes, ascetas, e não matar animais."* Em um de seus éditos, o soberano expressa claramente a intenção de transmitir à posteridade a lei budista: "No passado, não havia portadores da palavra do dharma, mas contratei sacerdotes 13 anos após minha coroação. Agora, eles atuam no seio de todas as religiões, para a promoção do dharma e para o bem-estar e a felicidade de todos os que se dedicam ao dharma. Eles atuam entre os gregos, os gandaras, os rastrikas, os pitinikas e todos os povos das fronteiras ocidentais. Atuam entre os soldados, os chefes, os brâmanes, os pobres, os velhos e aqueles que se dedicam ao dharma, pelo bem-estar e pela felicidade deles [...]. Este édito do dharma foi escrito na pedra, para que dure muito tempo, e para que meus descendentes atuem em conformidade com o que ele decreta."** Do mesmo modo que Constantino, mais tarde, em relação ao cristianismo, Ashoka foi uma peça fundamental no desenvolvimento do budismo em toda a Ásia.

---

* Édito nº 10 do rei Ashoka.

** Édito nº 5 do rei Ashoka.

Além dos éditos gravados do imperador, os primeiros escritos budistas que chegaram até nós datam apenas do século I a.C. Redigidos em páli, língua falada no norte da Índia, bastante próxima do magahi, que estava em uso na época do Buda, eles servem de referência quase que exclusiva para a escola budista Theravada, também chamada dos Antigos, enquanto outras escolas, como a do Mahayana, a eles acrescentam outros ensinamentos. Esses textos, escritos aproximadamente quatro séculos após a morte do Buda, são muito provavelmente fruto de uma longa transmissão oral. Habituados a consultar fontes escritas — e de agora em diante, audiovisuais e digitais —, esquecemos a importância da memória e da transmissão oral nas sociedades tradicionais. Imensas narrativas podiam ser apreendidas e transmitidas fielmente de geração a geração. Hoje em dia, na Índia, por exemplo, os romances-rio de milhares de versos continuam sendo transmitidos oralmente com grande fidelidade, embora tenham sido registrados por escrito há muito tempo. A vida e os ensinamentos do Buda foram, pois, transmitidos oralmente durante vários séculos, num tempo em que a memorização era tão usual quanto hoje é o registro escrito, sustentada por procedimentos mnemônicos como a versificação, a repetição, a utilização de fórmulas, o canto.

A tradição afirma que a origem dessa transmissão remonta aos discípulos do próprio Buda, os primeiros monges que o conheceram e com ele conviveram, e que, desde sua morte, por volta de 483 a.C., desejaram preservar sua memória e seu ensinamento. Meio século depois da morte do Buda, esses monges, que frequentemente levam uma vida itinerante, percorrendo cidades e aldeias para contar o que aprenderam, reúnem-se pela primeira vez em concílio. É possível que alguns deles tenham conhecido o Buda em vida. Juntos, tentaram estabelecer um cânone oral, quer dizer, entrar em acordo sobre o que era preciso transmitir, e sobre a maneira de transmiti-lo. Algumas regras e fórmulas estabelecidas naquele momento de articulação se encontrarão nos escritos posteriores. Um segundo concílio acontece cinquenta anos depois do primeiro. É aí que o budismo se divide em escolas, episódio ao qual voltarei.

A tradição budista afirma que o que se chama de "as Três Cestas", ou *Tipitaka*, o tríptico que forma o cânone páli da escola dos Antigos, foi criado entre os dois concílios. O *Tipitaka* é considerado pela tradição como uma retranscrição dos ensinamentos originais do Buda. Compõe-se de três partes. A primeira, o *Vinaya pitaka*, promulga as regras monásticas e explicita, por meio de referências à vida do Buda, as circunstâncias nas quais elas foram estabelecidas. A segunda parte, o *Sutta pitaka*, engloba perto de 10 mil sermões e discursos do Buda e de seus discípulos próximos, divididos em cinco coletâneas. Embora essencialmente centrados na doutrina e nas crenças budistas, esses discursos contêm elementos biográficos e permitem, por comparação, acompanhar os 45 anos de prédica do Buda, até o seu desaparecimento. Finalmente, uma terceira parte, chamada de *Abhidhamma pitaka*, subdividida em sete capítulos, é dedicada aos ensinamentos filosóficos e contém, em particular, uma análise aprofundada dos princípios que governam os processos físicos e mentais. A tradição diz que o *Abhidhamma* foi transmitido pelo Buda durante as quatro semanas que se seguiram ao seu Despertar; todavia, ele foi integrado ao cânone somente numa fase posterior, quando de um terceiro concílio da escola Theravada, o que torna bastante suspeita essa filiação direta.

O que se tem de apreender desse conjunto de textos? Sua objetividade — ele pretende contar literalmente as palavras do Buda — é evidentemente aleatória. Por um lado, porque, apesar das capacidades mnemônicas superdesenvolvidas dos monges, é totalmente natural que, ao longo das gerações de alterações, omissões, acréscimos, embelezamentos, explicações tenham sido acrescentadas ao discurso de origem. Por outro, provavelmente os monges imprimiram a esses ensinamentos em páli a marca de sua escola, o Theravada, num momento em que as divisões surgiam no seio do budismo. Feitas essas ressalvas, é preciso, no entanto, reconhecer o substrato histórico dos textos páli. As descrições indiretas que fazem da Índia dos séculos VI e V a.C. são corroboradas por outras fontes não budistas, notadamente pelos textos do jainismo, religião um pouco anterior ao budismo. Mas sobretudo as precisões que eles fornecem a respeito do vedismo, a religião dominante na época, constituem por si sós uma prova de que esses textos não foram inteiramente inventados na virada de nossa época, nem mesmo nos dois ou três séculos que a precederam: o vedismo tinha, de fato, dado lugar ao que hoje se chama hinduísmo. Por outro lado, todos os detalhes históricos que os textos páli contêm — citam nomes de reis que efetivamente existiram naquela época, como Bimbisara, soberano de Magadha, descrevem também a emergência da vida citadina em lugares precisos, camadas sociais, convenções vigentes — são corroborados pelos arqueólogos e historiadores. Essa abundância de detalhes históricos validados confirma a existência de um substrato real nas peregrinações, nos atos e palavras do Buda tais como são reportados pela tradição.

Foi essencialmente a partir desses materiais que foram elaboradas as "vidas de Buda", gênero literário pleno, que floresceu a partir dos séculos II ou III de nossa era, mas que não foram integrados ao cânone de nenhuma escola do budismo, como acontece com os Evangelhos no cristianismo. O motivo dessa ausência, que não se encontra em nenhuma outra tradição religiosa, é o alerta reiterado do Buda contra o culto da personalidade. As histórias referentes à sua vida, contadas no Cânone budista, figuram a título de exemplo, mas são citadas fora da ordem cronológica, tendo os primeiros biógrafos, em decorrência disso, reconstituído a vida do Buda a partir dessas fontes dispersas. Eles teriam se baseado na narrativa estabelecida por ocasião do segundo concílio e cujo vestígio se perdeu, como afirma a tradição? Disso não temos prova alguma. Dedicadas, num primeiro momento, ao percurso do Buda até seu Despertar e seu primeiro sermão, as "vidas do Buda", ao longo dos séculos, evocaram os 45 anos de sua vida de pregador. Fica evidente que elas também incorporaram sistematicamente uma parte de maravilhoso, misturando milagres e proezas sobre-humanas à narrativa do percurso de um homem que, um dia, decidiu abandonar tudo para partir em busca da verdade.

A fonte mais antiga referente a Sócrates é particularmente confiável dado o fato de que lhe é contemporânea... e hostil! Estamos em Atenas, na Grécia, no século V a.C. Sócrates ainda vive, aproximava-se dos 50 anos, quando aparece a primeira obra referindo-se explicitamente a ele. E está longe de ser elogiosa! De fato, em *As Nuvens*, uma comédia escrita por volta de 425 a.C., o poeta cômico Aristófanes ataca mordazmente o filósofo em quem vê a personificação de todos os sofistas, mestres de retórica que percorriam a Grécia, ensinando a arte de discursar em público e de defender com sutileza todas as teses, mesmo as mais contraditórias. Na peça, Aristófanes acusa Sócrates de "charlatanismo", qualifica-o de "vagabundo", caricatura seus ensinamentos, denuncia-lhes a vacuidade. Ele faz com que Sócrates diga a Estrepsíades, que bate à sua porta para juntar-se aos seus discípulos: "Diz-me teu caráter a fim de que, sabendo quem tu és, eu dirija, segundo um novo plano, minhas máquinas para o teu lado [...]. Quero te fazer algumas perguntas." Esta última observação mostra que o pai da filosofia moral já tinha forjado o método que lhe é próprio, fundado na interrogação do interlocutor, que se chamará "maiêutica", ou a arte do parto. A comédia de Aristófanes nos deixa, porém, entrever pouca coisa do pensamento e da vida de Sócrates. Ela comprova, contudo, a existência do mestre e prova que este já gozava então de certa notoriedade em Atenas, visto que foi escolhido como figura emblemática para encarnar os sofistas, que Aristófanes detestava.

Mas o que sabemos de fundamental sobre Sócrates provém daqueles que foram seus discípulos, entre os quais Platão figura em primeiro lugar. Ignora-se a quando remonta exatamente o encontro entre os dois homens, mas Platão era jovem (tinha aproximadamente 20 anos), enquanto Sócrates tinha mais de 60 anos. A fascinação de Platão por seu mestre, junto ao qual ficará pelo menos oito anos, foi tamanha que ele lhe dedicará os pontos fundamentais de seus textos, a ponto de ser hoje bastante difícil distinguir o pensamento platônico em si dos ensinamentos socráticos. De modo geral, considera-se que o "verdadeiro" Sócrates é o que se exprime nos seguintes diálogos: *Íon, Protágoras, Górgias, Charmide, Mênon, Fédon, Críton...* É nesses textos que Platão faz seu mestre viver e falar, e, pelo vigor do estilo, consegue fazer com que ele reviva diante de nós. É aí que vemos Sócrates, em todo o seu esplendor, encadear perguntas, determinado a fazer surgir, pela arte do diálogo, a verdade. Embora provavelmente esteja um pouco idealizado, é também Sócrates quem fala em *Teeteto, Parmênides* e *O Banquete.* Mas é também ele quem defende as Ideias em *A República*? Parece pouco provável. Sabe-se que depois da morte de seu mestre, Platão refugiou-se por um tempo em Megara, antes de voltar a Atenas para fundar sua Academia. Desde então, em seus escritos, ele faz de Sócrates o porta-voz do pensamento e da doutrina de sua própria escola. "Assim fazendo, Platão não reproduz o discurso filosófico de Sócrates, ele o produz",* considera um dos maiores especialistas do pensamento socrático, Gregory Vlastos. É provável que Platão não tenha reproduzido de modo totalmente fiel as afirmações de Sócrates: em algumas situações, ele as teria "aprimorado", ou completado, sem por isso trair a essência do pensamento de seu mestre.

A segunda fonte abundante de que dispomos reside nas obras de outro discípulo, este mais afastado: Xenofonte. Ao mesmo tempo filósofo, historiador e guerreiro, ele não conviveu com Sócrates nos dois últimos anos de sua vida: estava então numa expedição com Ciro, o Jovem. Parece que ele nunca fez parte de seu círculo próximo. No entanto, quando por volta de 390 a.C., ou seja, quase nove anos depois da morte do filósofo, o sofista Policratos de Samos escreveu uma cruel *Acusação a Sócrates,* retomando a acusação que lhe foi feita em Atenas e que resultou em sua condenação à morte, Xenofonte responde com os *Memoráveis.* Essa obra se apresenta simultaneamente como um tratado filosófico e uma narrativa histórica da vida de Sócrates. Nela, Xenofonte contradiz a *Acusação* e apresenta Sócrates como um homem honesto, respeitador dos ritos e dos deuses, exatamente como na *Apologia de Sócrates* (não confundir com a *Apologia* assi-

* Gregory Vlastos, *Socrate, ironie et philosophie morale* [Sócrates, ironia e filosofia moral], Aubier, 1991, p. 76.

nada por Platão), dedicada à morte do mestre. Embora não tenha o brilho e a profundidade dos livros de Platão, a obra de Xenofonte permanece um instrumento importante para o conhecimento de Sócrates. Ela permite, por comparação, a comprovação de determinado número de informações reveladas por Platão.

A essas obras acrescentam-se alguns fragmentos de Ésquines de Esfeto, que foi amigo de Sócrates e cujos diálogos, atualmente desaparecidos, são considerados os mais fiéis aos ensinamentos do mestre; fragmentos de Antístenes, outro discípulo que fundou a tradição cínica; alguns dados indiretos de Aristóteles, que não conheceu Sócrates, mas foi durante vinte anos aluno de Platão em sua Academia ateniense, até fundar sua própria escola, o Liceu. Citamos também as referências a Sócrates disseminadas pelas obras dos filósofos dos séculos posteriores, tais como Cícero, que, no século I a.C., exprimiu com entusiamo a hostilidade que os epicuristas nutriam contra ele, ou ainda o platônico Máximo de Tiro, que, no século II d.C., abriu caminho para o pensamento dos neoplatônicos. Ao todo, dispomos de um material considerável para decodificar a vida e o pensamento do principal iniciador da filosofia ocidental. Em que medida eles foram transformados e idealizados pelas primeiras testemunhas? Aparentemente, nunca será possível responder definitivamente a essa pergunta.

Jesus é o personagem cuja existência, vida e palavras suscitaram mais debates no Ocidente depois da emergência das Luzes, e, com elas, o ceticismo que se espalhou nas sociedades submetidas durante séculos às "verdades indiscutíveis" transmitidas pela Igreja. De fato, durante 18 séculos, o único Jesus que os crentes conheciam era a figura cuidadosamente elaborada pela instituição: um personagem não apenas exemplar, mas considerado "Deus feito homem". Ensinadas no catecismo e no culto dominical, sua vida e suas palavras não eram questionadas. O surgimento do humanismo e da Reforma protestante, no século XVI, abalou a autoridade do magistério católico, mas não pôs em questão a veracidade do testemunho evangélico. Erasmo e Lutero criticavam o papa, mas não contestavam os textos fundadores do cristianismo. Foi somente na Alemanha do final do século XVIII que se desenvolveu uma leitura histórica e crítica da Bíblia. Na França, apesar da oposição da Igreja Católica, esse movimento, conduzido por alguns exegetas e teólogos audaciosos, é sucedido, no início do século XIX, pela escola de Estrasburgo, cujo objetivo é fazer emergir a figura de um Jesus livre da opressão do dogma. Ora, tal empreendimento se revela particularmente árduo, pois os Evangelhos são textos escritos por crentes que se assumem como tais, não por observadores neutros.

Não se trata de contar aqui o nascimento e o desenvolvimento da exegese cristã. Parece-me, contudo, importante pôr em evidência sua originalidade: nenhum grande personagem da história, principalmente fundador algum de uma corrente religiosa ou espiritual, foi alvo de tantas pesquisas objetivas, conduzidas tanto por ateus quanto por crentes, os quais não hesitaram em deixar de lado os dogmas em proveito da análise argumentativa, tendo como única preocupação a pesquisa da verdade histórica.

Como expliquei anteriormente, não há especialista que negue a existência de um personagem chamado Jesus, um judeu nascido na Galileia alguns anos antes do início de nossa era, morto crucificado em Jerusalém por volta do ano 30, e cuja vida pública foi extremamente curta: entre um e três anos, segundo os primeiros testemunhos. Assim como em relação a Sócrates e ao Buda, as principais referências escritas a respeito de Jesus provêm de seus discípulos, mas existem também indícios além desse círculo. O mais importante é o do historiador judeu Flávio Josefo, que dedicou algumas linhas ao personagem em sua principal obra, *Antiguidades Judaicas*, redigido por volta do fim do século I. Diferentes versões dessas linhas circularam em meios cristãos, que puderam acrescentar-lhes retoques. Vou me limitar àquela que o exegeta americano John Meier estabeleceu depois de ter selecionado essas versões e as comparado ao estilo do autor das *Antiguidades*.* Ele também considera "provável" que Flávio Josefo tenha escrito: "Na mesma época apareceu Jesus, um homem sábio (se, no entanto, se possa chamá-lo de homem). Pois ele era de fato fazedor de milagres, o mestre daqueles que recebem com prazer as verdades. Ele conquistou muitos judeus e também muitos do mundo helenístico. E Pilatos, tendo-o condenado à cruz, segundo informação dos primeiros entre nós, aqueles que inicialmente o amaram não deixaram de fazê-lo. E, até o momento, a raça dos cristãos, denominada a partir dele, não desapareceu."**

Josefo menciona rapidamente Jesus numa segunda passagem de *Antiguidades Judaicas*, dedicada ao período de transição, em Jerusalém, em 62, entre a morte do procurador Festus e a nomeação de seu sucessor, Albino, período de que tirou proveito o sumo sacerdote Anás, o Jovem, que "convocou o sinédrio de juízes e fez comparecer diante dele o irmão de Jesus, chamado o Cristo, e alguns outros. Ele os

---

* John Meier. *Um judeu marginal: repensando o Jesus histórico*. Trad. Laura Rumchinsky. Rio de Janeiro: Imago, 2003.

** Flávio Josefo, *Antiguidades judaicas*, 18, 63-64.

acusou de terem transgredido a lei e os entregou para que fossem apedrejados".*

Quanto a outras fontes não cristãs, citamos os *Anais,* do historiador romano Tácito (57-120). O trecho desses *Anais* que cobre o período ao longo do qual Jesus exerceu seu ministério público se perdeu. Em outra parte, descrevendo o incêndio de Roma em 64, cuja responsabilidade foi atribuída pelo rumor público ao imperador Nero, Tácito explica: "Assim, para dissolver o boato, Nero presumiu culpados e infligiu os mais requintados tormentos àqueles detestados por suas abominações, e que a multidão chamava de *chrestiani* (cristãos). A palavra vem de *Christus* (Cristo), que, sob o principado de Tibério, o procurador Pôncio Pilatos tinha entregado ao suplício; momentaneamente reprimida, a detestável superstição surgia novamente não apenas na Judeia, onde o mal tinha nascido, mas também em Roma, para onde tudo o que há de horrível e vergonhoso no mundo aflui e encontra numerosa clientela."** Uma menção aos "cristãos" figura, aliás, numa carta do procônsul Plínio, o Jovem, escrita por volta de 112 ao imperador Trajano para informá-lo dos crimes perpetrados por estes; encabeçando a lista, a recusa de cultuar o imperador e a organização de reuniões em dias marcados, ao alvorecer, durante as quais eles dedicam cânticos ao "Cristo como a um deus".*** Plínio acrescenta não ter levado em consideração nem as acusações de canibalismo, nem as de incesto feitas aos cristãos, mas ter, porém, executado alguns deles. Finalmente, entre os escritos judaicos posteriores à destruição do Templo de Jerusalém (70 d.C.),

---

* Flávio Josefo. *Antiguidades judaicas,* 20, 200.

** Tácito, *Anais,* 15, 44.

*** Plínio, o Jovem, carta 96.

portanto, no momento do rompimento com os judeo-cristãos, encontra-se menção ao nome de Jesus no *Tratado Sinédrio* do Talmude Babilônico. O versículo 43 refere-se a um certo Yeshu que "praticou bruxaria e seduziu e confundiu Israel" antes de ser enforcado na véspera da Páscoa.

No entanto, o que essencialmente sabemos de Jesus e de sua mensagem provém de fontes cristãs redigidas pelo menos vinte anos depois de sua morte. Os primeiros textos são cartas (ou epístolas) de Paulo, um judeu letrado que perseguiu os discípulos de Jesus antes de se converter e se tornar um fervoroso propagador da fé cristã. Considerando-se que seus interlocutores já conheciam o fundamental da vida e das palavras de Jesus — o que confirma a existência de uma tradição oral —, Paulo deseja principalmente explicar a inovação da fé cristã em relação à lei judaica, e suas epístolas fundam, de fato, a doutrina cristã. Aparecem, em seguida, outras cartas de apóstolos, como Pedro e Tiago, que dirigiram a primeira igreja de Jerusalém. Mas foi somente depois da morte deles, cerca de trinta anos depois da crucificação de Jesus, que os cristãos sentiram necessidade de colocar por escrito o testemunho oral das testemunhas oculares. É dessa forma que são escritos os quatro Evangelhos de Marcos, Mateus, Lucas e João, que pretendem contar a vida e reportar as palavras de Jesus.

Elementos pontuais são igualmente fornecidos por alguns textos chamados de "apócrifos", quer dizer, não integrados ao cânone oficial das Igrejas cristãs. Muito se escreveu sobre esses textos apócrifos desde o sucesso mundial de *O Código Da Vinci*, que os apresenta como textos mais autênticos que os quatro Evangelhos canônicos. Todos os exegetas e historiadores afirmam, ao contrário, que eles são historicamente menos confiáveis. Não são apenas muito mais tardios — entre os séculos II e IV —, como também traduzem, de maneira manifesta, seja o desejo de enfeitar a vida de Jesus, como o Protoevangelho de Tiago, ou o Evangelho da infância segundo Tomé, seja uma perspectiva gnóstica, como os Evangelhos de Judas, de Maria, ou de Felipe. Em compensação, os pesquisadores se interessam particularmente pelo Evangelho de Tomé citado por autores cristãos do século III, do qual uma versão copta foi encontrada em 1945, em Nag Hammadi, no Egito. Formada por 114 palavras de Jesus, cada uma delas precedida da menção "Jesus disse", e das quais a metade encontra correspondência nos Evangelhos canônicos, os pesquisadores não descartam que ele seja anterior, em sua versão original, ao Evangelho de Marcos.

Embora tendo ocorrido muito mais rapidamente que o do Buda, o registro da vida de Jesus não seria tardio demais para poder ser considerado um documento histórico confiável? Lembremos algumas datas. O Evangelho mais antigo, o de Marcos, foi composto entre 66 e 70, pouco tempo depois da morte de Pedro e de Paulo, mas enquanto outras testemunhas diretas dos acontecimentos ainda estavam vivas. "Discípulo e intérprete de Pedro", como escreve o bispo Irineu em 180,* Marcos não conheceu Jesus. No século IV, o historiador Eusébio de Cesareia confirma as funções de Marcos, confiando no testemunho de Papias, bispo de Hierápolis, em 120: "[Marcos] escreveu com exatidão, porém, fora de ordem, tudo o que se lembrava que tinha sido dito e feito pelo Senhor. Pois ele não ouvira, ou acompanhara o Senhor; contudo, mais tarde, como eu disse, ele acompanhou Pedro. Este ensinava segundo as necessidades, mas sem fazer uma síntese das palavras do Senhor. Marcos não cometeu

---

* *Contra as heresias*, 3, 1, 1.

erros ao escrever conforme se lembrava. De fato, só teve um objetivo: o de não omitir nada do que ouvira e o de não cometer engano algum sobre o que contava."* Os Evangelhos de Mateus, judeu cristianizado da Síria, e de Lucas, pagão convertido de Antioquia, foram escritos em grego entre 80 e 90, inspirando-se certamente em Marcos. Todavia, eles não retomaram a ordem cronológica do texto de Marcos e acrescentaram a ele dois capítulos sobre a infância, bem como um curioso conjunto de palavras inéditas de Jesus, conhecidas pelo nome de Q (do alemão *Quelle*, ou "fonte"), desde sua identificação no final do século XIX pelos exegetas alemães. É provável que Q tenha sido uma compilação formada por palavras de Jesus, perdida em circunstâncias desconhecidas antes do final do século I. Finalmente, o quarto Evangelho, atribuído ao apóstolo João, redigido por volta do ano 100, é muito diferente dos três anteriores — ditos "sinóticos", porque podem ser dispostos em colunas e comparados, e porque utilizam as mesmas expressões para contar, apesar das divergências cronológicas, a atividade de Jesus na Galileia e uma única viagem a Jerusalém, seguida da crucificação. João estende o ministério de Jesus à Judeia, mostra-o pelo menos quatro vezes em Jerusalém, e o faz pronunciar grandes discursos, em lugar das falas curtas que os sinóticos privilegiam.

Essas poucas divergências entre as quatro narrativas evangélicas foram interpretadas como a prova de sua inautenticidade. Alguns chegam a afirmar que a Igreja nascente teria criado esses textos do princípio ao fim, para validar seu poder, apoiando-se em vida e em palavras míticas de um Jesus que talvez nem mesmo tivesse existido. Penso exatamente o contrário: se uma jovem instituição tivesse querido produzir

* Eusébio de Cesareia, *História Eclesiástica*, 3, 39, 15.

documentos inteiramente inventados, ela os teria tornado coerentes! Certamente não se teria complicado com quatro testemunhos, mas teria produzido uma única "vida de Jesus", plana e coerente do princípio ao fim! O fato de a instituição ter reconhecido desde o século II, e posteriormente admitido em seu cânone oficial no final do século IV, essas quatro narrativas, e de nem ter tentado harmonizá-las, apagando-lhes as incoerências, ou retirando palavras que lhe fossem embaraçosas, me parece um forte sinal da autoridade delas, logo, do caráter autêntico que possuíam para as primeiras gerações de cristãos. Isso não chega a significar que todas as afirmações dos quatro Evangelhos sejam estritamente conformes à realidade da vida e das palavras pronunciadas por Jesus. Justamente o fato de que existem divergências entre as narrativas mostra que alguns acontecimentos não se passaram exatamente do modo como foram relatados por um ou outro dos narradores. Portanto, a necessidade da interpretação desses textos fundadores se faz sentir desde o início da tradição cristã.

A interpretação desses textos tornou-se ainda mais legítima, diferentemente das narrativas concernentes ao Buda, que pretendem transcrever suas palavras tais como pronunciadas, pelo fato de os Evangelhos se assumirem como narrativas que refletem o ponto de vista particular daqueles que os escreveram. A tradição cristã admite que essas primeiras narrativas são pontos de vista de crentes, e não reportagens objetivas, muito menos textos escritos pela mão do próprio Deus. Para os cristãos, as Sagradas Escrituras são a palavra de Deus, não porque elas teriam sido escritas sob o ditado de Deus, mas porque foram inspiradas por Deus a crentes. Ora, como qualquer outra testemunha, os crentes escrevem com a personalidade, o ponto de vista, a sensibilidade próprios, mas também com a própria memória e as fontes, escritas e orais, às quais têm acesso. Associações e aproximações são, pois, inevitáveis e aceitáveis. Em vez de tomar ao pé da letra cada palavra dos Evangelhos, os exegetas e teólogos cristãos procuram antes considerar a visão geral, e extrair as linhas de força dessas narrativas. Ora, elas são suficientemente evidentes para que se possa ter delas uma ideia bastante precisa do que foram a vida e os principais ensinamentos de Jesus. Debates sobre determinados acontecimentos, até mesmo sobre a autenticidade desta ou daquela palavra, permanecem em aberto, mas, no essencial, os exegetas concordam com o que é mais verossímil nas narrativas evangélicas.

2

Origem social e infância

Sidarta, o indiano; Sócrates, o grego; e Jesus, o judeu palestino, nascem em contextos familiares e culturais muito diferentes. Todavia, as sociedades no seio das quais eles crescem têm como ponto em comum um clima de contestação da ordem estabelecida pelas elites políticas e religiosas. Isso terá consequências sobre suas vidas e mensagens, de caráter fortemente contestador.

Sidarta, filho de aristocrata indiano

Segundo a tradição, Sidarta Sakyamuni (mais conhecido pelo nome de Buda) era um príncipe de sangue, filho mais velho do poderoso Suddhodana, rei de Kapilavastu. Sidarta, diz a tradição, nasceu num bosque em Lumbini, ao pé do Himalaia, no nordeste do subcontinente indiano, durante uma viagem de sua mãe. Foi por volta do ano 560 a.C., segundo a tese mais comumente aceita; setenta anos antes, segundo a tradição cingalesa; e cinquenta anos mais tarde, segundo a tradição chinesa. Na mesma noite, a criança, a mãe e a escolta voltavam ao domicílio familiar em Kapilavastu. Pesquisas históricas e arqueológicas desenvolvidas no lugar de nascimento do Buda mostraram que Kapilavastu era um pequeno povoado da planície do Ganges. Tudo leva a crer que o pai de Sidarta foi, na melhor das hipóteses, um régulo local, mais provavelmente um membro da classe aristocrática do clã dos Sakya (de onde vem o nome Sakyamuni), certamente um homem importante, cuja posição social assegurava aos seus condições de vida diferentes da multidão de miseráveis, mas que, contudo, não tinha o estatuto principesco que se quis inventar para ele, a fim de embelezar a história.

A Índia daquela época, a do século VI a.C., é amplamente dominada pelo vedismo, religião confiscada por seus sacerdotes, os brâmanes, membros de uma casta superior, que não se misturavam com o povo, e se consagravam a intermináveis e complexos ritos codificados pelos Veda.* Eles multiplicam sacrifícios destinados a abrandar os deuses. Colonizada no início do Segundo Milênio pelos árias (ou arianos) originários do Cáucaso, o Indo adotou, sob a influência deles, uma divisão social hierarquizada em classes, ou *varna*, totalmente estanques, que posteriormente serão chamadas de castas. Três classes se instauram: a dos brâmanes ou sacerdotes organizadores do ritual; a dos xátrias, englobando a nobreza e os guerreiros; e a dos Vaixás, por sua vez subdividida em várias subclasses (comerciantes, agricultores, servidores etc.). Acrescenta-se a isso um quarto estrato, o dos "sem classe", os impuros ou *candala*, literalmente: os selvagens.

Provavelmente, a família de Sidarta pertencia à alta casta dos xátrias. As fontes budistas explicam que o rei ape-

---

* Coleções de textos sagrados, principalmente hinos e preces rituais, cuja elaboração se desenvolveu entre 1800 e 800 a.C.

lou aos brâmanes para que a vida do filho fosse orientada por bons adivinhos. Em compensação, não parece que ele tenha convocado um dos "ascetas das florestas", buscadores de sentido, que, havia uma centena de anos, cansados do ritualismo excessivo e aspirando ao conhecimento pessoal da verdade, tinham abandonado as cidades para chegar ao fim de suas buscas. Frequentemente contestando o sistema rígido das castas, como mais tarde fará o futuro Buda, seus ensinamentos, destinados a se transmitirem exclusivamente de mestre a discípulo, tinham, contudo, ido além do círculo fechado. O povo das aldeias se habituara a cruzá-los e a interrogá-los quando eles pediam esmola em tigelas de madeira. Certamente, passava-se por eles na povoação de Kapilavastu, onde cresceu o futuro Buda. Mas a religião permanecia ainda largamente dominada pelos sacerdotes, fiadores, por meio de seus rituais, da prosperidade dos comerciantes, dos agricultores e do bom encaminhamento da sociedade em seu conjunto, sob o olhar benevolente dos deuses.

A infância de Sidarta foi com certeza uma infância dourada, como a de todos os jovens oriundos da mesma casta. Sobre essa infância, conhecemos somente o que diz a literatura búdica tardia, na qual frequentemente o maravilhoso ultrapassa o verossímil. Segundo essas narrativas, sua história começa antes de seu nascimento, ou mesmo antes da concepção. A mãe, a rainha Maya, que não conseguia ter filhos, vê em sonho um elefante branco dotado de seis presas, que lhe toca o flanco com a tromba. O rei Suddhodana convoca os brâmanes que, depois de interpretarem o sonho, são unânimes: a criança será muito grande, muito nobre, seu poder se estenderá por toda a Terra. Sidarta, diz ainda a tradição budista, nasceu andando. Ou melhor, surgiu do flanco direito da rainha Maya, então grávida de seis meses.

Alguns dias depois — conta o *Nidanakatha*, única biografia do Buda redigida em páli —, oito brâmanes e astrólogos são convocados para examinar o recém-nascido. Eles encontram em seu corpo as 32 marcas do "Grande Homem", que, na tradição indiana, assinalam um destino extraordinário. Sete dentre eles afirmam que a criança será ou um Despertado, um "Buda", ou um monarca universal. O oitavo, Kondana, é o único a excluir a segunda hipótese, afirmando que aquela criança será um Despertado; ela deixará o palácio do pai quando tiver encontrado quatro grandes sinais: um velho, um doente, um morto e um renunciante. É então que o nome de Sidarta, "aquele que pode realizar os desejos dos *deva* (divindades) e dos homens", lhe é atribuído.

Sua mãe morre alguns dias depois de seu nascimento; assim, é sua tia quem vai criá-lo, como quer o costume indiano. O pai do futuro Buda, que quer torná-lo herdeiro do trono, tudo faz para que o olhar do filho não cruze os quatro sinais fatídicos. Ninguém desobedece às ordens de Suddhodana, que exige de todos uma severa obediência à regra que ele proclamou: seu filho só verá o lado bom da vida, unicamente o lado bom. Seus biógrafos contam que durante quase trinta anos Sidarta leva uma existência ociosa e protegida, num palácio onde a miséria e até mesmo a doença são proibidas! Ele é cercado de servidores, cozinheiros, músicos, dançarinos, cortesãos, cuja vida é inteiramente dedicada aos prazeres do príncipe. Seu pai teve outros filhos, a que os textos remetem muito pouco, a não ser o mais novo, Nanda, que se tornou herdeiro do trono depois da partida de Sidarta. Durante sua posterior vida itinerante, o Despertado voltará por duas vezes ao palácio de sua infância para encontrar o pai, que acabará, no fim de seus dias, por se tornar discípulo do filho, ao se converter ao dharma, o Caminho.

Sócrates, filho de uma parteira e de um escultor

Em comparação com o que conta a tradição budista sobre os jovens anos de Sidarta, os episódios referentes à infância de Sócrates, embora contados pouco tempo depois de sua morte, são muito limitados. Talvez por isso sejam mais confiáveis. Sócrates não é um príncipe, mas pertence à classe média abastada de Atenas. O pai, Sofronisco, é um escultor que vive confortavelmente de sua arte. A mãe, Fenareta, é uma parteira que imaginamos indo de uma casa para outra, onde quer que a vida esteja a ponto de nascer. É uma mulher ativa, que cuida de suas próprias obrigações. Uma mulher "moderna" que tenta conciliar vida familiar e vida profissional.

Atenas, onde nasce Sócrates por volta de 470 a.C., vibra com veleidades renovadoras, do mesmo modo que a Índia — e também, quase que simultaneamente, a Mesopotâmia e a China. Enquanto estas iniciam sua "revolução cultural" no modo religioso, rompendo com antigas tradições para responder às aspirações espirituais do indivíduo, a Grécia se engaja nessa ruptura pelo recurso à sabedoria e à filosofia. Paralelamente aos sacerdotes, ordenadores da relação com os deuses, surge uma categoria de pensadores. Esses pensadores não apareceram em Atenas, principal cidade onde se concentram os elementos do poder, mas em zonas periféricas, na costa mediterrânea da Ásia Menor, em particular na região de Mileto, na atual Turquia, onde Tales (c. 625-547) e depois seu discípulo Anaxímenes (c. 585-525) tentam dar respostas "racionais", quer dizer, fundadas no conhecimento empírico, às questões metafísicas.

Rapidamente, aqueles que ainda não são chamados "filósofos", mas antes "físicos", chegam à constatação de que o universo forma um todo, e que o conhecimento do mundo passa primeiramente pelo do homem. "É preciso estudar a si mesmo e tudo compreender por si mesmo", afirma Heráclito (c. 540-450), o pensador de Éfeso, cidade situada próximo a Mileto. Ao mesmo tempo, seitas místicas se espalham, tais como a escola de Pitágoras, propondo a seus adeptos uma iniciação secreta que associa conhecimento de si e religião esotérica. Num primeiro momento, Atenas permanece afastada desse movimento de pensadores que refletem sobre a *physis* (a natureza, a ordem do mundo, a origem dos seres) e sobre a natureza da alma. Ela recebe alguma informação sobre eles, é certo, mas participa dessa reflexão somente alguns decênios depois, com a entrada de Anaxágoras em seus muros (c. 500-428), o primeiro filósofo que decidiu ali se instalar. Na mesma ocasião que Anaxágoras, novos sábios, oradores e professores, oriundos das cidades periféricas, mudam-se para Atenas. São chamados de sofistas, os especialistas da *sophia*, a sabedoria — embora o ensinamento deles vise, sobretudo, a arte da retórica ou a da política. Seus alunos, a maioria filhos de nobres, pagam caro para assistir às suas aulas destinadas a ensinar não tanto a filosofar sobre o sentido da vida, ou sobre a natureza do mundo, mas a argumentar sobre essas temáticas para mais tarde melhor governar uma cidade que instituiu o debate como grande arte e levou às alturas a disputa oratória. Porém, é nos templos, junto aos sacerdotes e deuses, mais do que ao lado dos sofistas, que a população busca consolo.

Uma palavra sobre a situação política de Atenas. A Grécia de Sócrates emerge do que se chama "idade das trevas", ou seja, os quatro ou cinco séculos que se seguiram à estranha extinção da civilização miceniana, cerca de 1200 a.C. Durante esse período, a Grécia se despovoa e se fragmenta em pequenos Estados enfraquecidos, dotados de pequenos reinos impotentes, mas partilhando a mesma língua, o mesmo panteão e as mesmas epopeias fundadoras, a *Ilíada* e a *Odisseia,* mais tarde atribuídas a Homero, ou *Os Trabalhos e os Dias,* de Hesíodo. Progressivamente, emergiu uma aristocracia rural que se tornou a verdadeira detentora do poder, e, graças a ela, as cidades, ou *polis*, conhecem uma nova prosperidade. Cada uma delas se mune de um deus ou uma deusa tutelar, de um exército e, a partir do século VI a.C. de uma moeda e, em seguida, de leis. As artes, a matemática, a filosofia, começam a se desenvolver. Desde o século VI a.C. sobretudo no século V a.C., Atenas, que então conta com 300 mil habitantes, entre os quais um terço é de cidadãos (ou seja, homens livres de mais de 18 anos, nascidos de pais atenienses), revela-se a mais próspera e a mais brilhante das cidades gregas. Por volta de 499 a.C., as cidades jônicas, das quais a mais próspera era Mileto, se revoltam contra o longo jugo persa e solicitam a ajuda de Atenas. Assim é que, ao fim das duas Guerras Médicas, os atenienses assumirão o controle, por volta de 479 a.C. das ilhas do mar Egeu, e pouco depois organizarão a chamada Liga de Delos, espécie de congresso do qual participam representantes de todas as cidades gregas. Um exército e uma moeda única são criados, e, progressivamente, Atenas, que preside a liga, enfeuda as outras cidades. Ela não é governada por um rei, mas por uma assembleia de dez estrategistas que representam as grandes famílias, eleitos todos os anos pela assembleia do povo. Em caso de guerra, um estrategista é designado pela assembleia para assumir o comando supremo. Péricles, por 15 vezes eleito estrategista, tornou-se um dos homens políticos mais influentes de Atenas — a ponto de chamarem essa época de "século de Péricles".

Pode-se supor que Sócrates tenha recebido a educação clássica que a lei exigia dos meninos atenienses de sua classe social: aulas de ginástica, música, geometria, agricultura, e, certamente, o estudo dos grandes poetas como Homero, Esopo e Hesíodo. Ignora-se se ele tinha uma profissão. Talvez tenha se exercitado na escultura, como o pai, o que Diógenes Laércio deixa transparecer em *Vidas, Doutrinas e Sentenças dos Filósofos Ilustres*. Contudo, se considerarmos o *Parmênides* de Platão, veremos que Sócrates prefere, desde os 19 anos de idade, as conversas com sofistas como Eleate, Protágoras, Polos e Zenão, e com mulheres inteligentes como Aspásia, a companheira de Péricles. Teve ele um mestre em especial? No *Crátilo* de Platão, Sócrates diz que foi discípulo de Pródicos.* Entretanto, em outros diálogos, Sócrates insiste no fato de que, embora tenha se instruído durante toda a vida, não foi discípulo de ninguém, pois sua imensa curiosidade o impulsiona a se alimentar sobretudo de todas as fontes, desde os sofistas, mestres da arte da palavra, passando provavelmente pelos fiéis dos cultos de mistérios.

Muito apegado à sua Atenas natal, Sócrates só se afastou dela para fazer o serviço militar, participando notadamente das guerras do Peloponeso contra os persas e Esparta, das batalhas de Potideia, na qual salvou a vida de Alcebíades (cerca de 430 a.C.), depois da de Delos e de Anfípolis (entre 424 e 422 a.C.). Nada mais se sabe sobre sua infância, nem sobre sua juventude, tampouco sobre os primeiros anos da maturidade. Nos diálogos e em outras narrativas que lhe dedicaram os discípulos não se faz alusão alguma à sua educação. Há somente um ponto no qual as narrativas insistem, o ofício exercido por sua mãe, e da qual, segundo suas próprias palavras, ele herdará a seu modo: o de parteiro. Um parteiro das mentes...

---

* *Crátilo*, 11a.

Por fim, aos 31 anos, parece que Sócrates se recusa a fazer parte do Conselho da cidade: prefere circular pelas ruas, cultivar o saber, interrogar os detentores da sabedoria e do conhecimento, sem contudo negligenciar o culto e os sacrifícios aos deuses. O chamado da sabedoria será nele sempre mais forte que o da política.

Jesus, filho de artesão judeu palestino

Aproximadamente cinco séculos separam Jesus, o judeu palestino, do Buda indiano, e quatro séculos de Sócrates, o ateniense. Por volta do início de nossa era, o budismo se implantou intensa e permanentemente em toda a Ásia, enquanto o Império Romano, que emergiu das ruínas da Grécia antiga, assistiu ao surgimento de um número considerável de escolas filosóficas, impulsionadas pela intuição socrática e mais voltadas para o conhecimento do homem do que para a compreensão do universo.

Segundo as narrativas dos Evangelhos de Mateus e de Lucas, Jesus teria nascido em Belém nos últimos anos do reino de Herodes, o Grande. O fato de ele ter morrido no ano 4 a.C. significa que os monges cristãos do fim da Antiguidade, que elaboraram um novo calendário a partir do nascimento de Jesus, erraram em alguns anos. Segundo Lucas, seus pais, José e Maria, embora originários de Nazaré, cidade da Galileia, foram a Belém, em Judá, para o censo organizado sob o reino de Quirino. Ora, sabemos também que este governou a região apenas até o ano 6 a.C. Assim, os historiadores consideram mais plausível que Jesus tenha nascido por volta de 5 ou 6 a.C., não em Belém, mas em Nazaré. A indicação de Belém por dois evangelistas seria um embelezamento teológico destinado a ligá-lo à linhagem de Davi: segundo a tradição judaica fundada na promessa de Javé ("Eu construirei tua descendência a partir de ti"), o Messias teria vindo dessa linhagem. Para os primeiros cristãos, todos originários do judaísmo, esse elemento é capital, e Paulo não deixa de sublinhá-lo em suas epístolas (Romanos, 1:3).

Nazaré, onde Jesus passou seus primeiros trinta anos, é uma povoação galileia de aproximadamente 2 mil habitantes de larga maioria judaica. Uma povoação sem asperezas ou brilho, que nem mesmo é mencionada na Bíblia hebraica (o Antigo Testamento dos cristãos). Naquela época, a Palestina, conquistada por Pompeu em 63 a.C., está em crise. Ela sofre, hoje diríamos, de esquizofrenia: de religião judaica, de cultura grega, ela é ocupada por romanos que, dando aos seus habitantes certa liberdade de culto, tentam mesmo assim aculturá-los, com o risco de ferir suas crenças. Herodes Antipas, por exemplo, um dos filhos de Herodes, o Grande, que governa a Galileia sob a autoridade dos romanos, decora seu palácio de Tiberíades, a nova capital, com representações de animais que chocam o mundo judaico. Além disso, inaugura essa cidade sobre um antigo cemitério, lugar impuro para os judeus. Por sua vez, Pilatos, o governador romano que condenará Jesus à pena capital, cunha moedas ornadas com varinhas de adivinhos pagãos. Os impostos cobrados pelos romanos são muito pesados. Um verdadeiro clima insurrecional castiga então a Palestina.

Naquela época, o judaísmo era dividido em quatro grandes grupos, citados pelo historiador Flávio Josefo nas *Antiguidades*. Os saduceus, notáveis e sacerdotes de alta linhagem, dirigem o Templo onde todos os judeus vão praticar sacrifícios e ritos de purificação pela água. Os fariseus, numericamente majoritários, preconizam a igual autoridade da Torá e do Templo; obcecados com a pureza, a ponto de recusarem contatos com os pagãos, apegados à estrita observância da Lei, eles estão à espera de um Messias. Os essênios constituem o terceiro grupo; ascetas contemplativos, isolados no deserto onde vivem em comunidades, eles multiplicam os banhos de purificação e as orações coletivas, rejeitam a autoridade do Templo e não participam das festas. Flávio Josefo cita, por fim, um quarto grupo de revoltados que pregam a violência armada em nome de Deus: mais tarde, serão chamados de zelotes. Todos esses grupos, no entanto, permanecem ligados pela Torá e pelo monoteísmo, bem como pelo sentimento de pertencerem a um mesmo povo. Ao lado dessas diferentes facções, movimentos messiânicos emergem, e grande quantidade de pregadores itinerantes, por vezes muito populares, percorre as estradas.

É nesse contexto de extrema tensão política e de efervescência religiosa que Jesus nasce. Assim como a tradição budista em relação ao Buda, os textos cristãos atribuem a Jesus concepção e nascimento milagrosos. Os evangelistas Mateus e Lucas fazem duas narrativas simultaneamente complementares e divergentes sobre alguns pontos. Lucas começa contando a concepção, também milagrosa, de João, chamado Batista, filho de Isabel, prima de Maria, e do velho Zacarias. Em seguida, ele conta a anunciação feita a Maria pelo anjo Gabriel: ela conceberá do Espírito Santo um filho que se chamará "Filho do Altíssimo". De longa data imortalizada pela arte pictural cristã, a cena da Anunciação não figura na narrativa de Mateus, que também fala da fecundação milagrosa de Maria pelo Espírito Santo, mas afirma que o anúncio foi feito pelo anjo a José, que pretendia repudiar a noiva quando descobriu que ela estava grávida antes que tivessem levado vida em comum.

A família na qual Jesus nasce é certamente muito devota, como o são quase todos os judeus da Palestina da época. Sabe-se que ela respeita o Sabá (o repouso do sétimo dia), que participa das festas judaicas e vai ao Templo de Jerusalém, onde Jesus (em hebraico, Yeshua) é apresentado pouco depois do nascimento. Segundo a narrativa de Mateus, Jesus, ainda criança, teria salvado do massacre, ordenado por Herodes, o Grande, todos os meninos de menos de 2 anos, graças à fuga de sua família para o Egito. Porém, os historiadores não dispõem de elementos factuais que possam confirmar esse episódio, julgado muito pouco provável.

José, que pertence à classe média inferior da sociedade, é carpinteiro — o termo grego significa de fato marceneiro: aquele que trabalha a madeira. Maria certamente se dedica à educação do filho, junto a quem ela estará sempre presente, até a crucificação. Um filho único? O debate muito cedo se abriu no seio do cristianismo. Marcos e João citam quatro "irmãos" de Jesus: Tiago, José, Judas e Simão, bem como duas irmãs cujos nomes não são citados (Marcos, 3:21 e 31-35). Em hebraico, a palavra *ach* designa tanto os irmãos quanto os meios-irmãos e primos. No século II, Tertuliano e Hegesipo, dois Pais da Igreja, afirmam que se trata de verdadeiros irmãos, de "irmãos segundo a carne", enquanto o Protoevangelho de Tiago observa que esses irmãos e irmãs são na verdade meios-irmãos e meias-irmãs originários do primeiro casamento de José. Ao longo dos séculos, as Igrejas adotaram sobre essa questão — especialmente complicada pelo fato de pôr em causa o dogma da "virgindade perpétua" de Maria — respostas diferentes. Para a Igreja Católica, esses *ach* são primos; as Igrejas Orientais os apresentam como meios-irmãos e meias-irmãs; quanto às Igrejas Protestantes, elas não excluem que se trate de irmãos e irmãs legítimos.

No que concerne à juventude de Jesus, os Evangelhos se contentam em observar que "o menino crescia e se fortalecia" (Lucas, 2:40), que "ele crescia em sabedoria, em estatura e em graça diante de Deus e diante dos homens" (Lucas, 2:52). Lucas acrescenta que a família ia todos os anos ao Templo para a Páscoa. Foi durante uma dessas subidas a Jerusalém que Jesus, então com 12 anos, teria fugido, provocando a angústia dos pais, que o procuraram por toda o parte durante vários dias, e acabaram por encontrá-lo em Jerusalém, no Templo, entre os doutores da Lei, que ele interrogava de modo muito pertinente (Lucas, 2:42-50). O menino é precoce, inteligente; pode-se supor que, como as outras crianças judias, ele tenha frequentado, até a puberdade, a escola da sinagoga, onde aprendeu hebraico, e depois, na qualidade de primogênito, continuado os estudos até assumir o ofício do pai. Além disso, é pelo apelido de "carpinteiro" que os nazarenos o designam quando ele se dirige a eles na sinagoga (Marcos, 6:3). Além do hebraico, ele fala aramaico, língua corrente na época na Palestina, e talvez um pouco de grego e de latim, línguas da elite.

Às narrativas canônicas bastante sumárias, os evangelhos ditos apócrifos, isto é, não reconhecidos pelo cânone, acrescentaram-se uma quantidade de episódios maravilhosos. Assim é que se vê, no Protoevangelho de Tiago ou no Evangelho da infância segundo Tomé, um menino Jesus que faz milagres, dando vida, por exemplo, a pássaros de argila. É também no Protoevangelho de Tiago, que data do século II, que se encontra a narrativa da concepção "sem mácula" de Maria, mãe de Jesus. Segundo o dogma de fé que a Igreja Católica definirá bem mais tarde (1854), Maria seria imaculada desde sua concepção e, na verdade, isenta da mancha do pecado original. Isso porque um dia ela iria ser chamada a gerar Jesus, "Filho do Altíssimo".

Do mesmo modo que em relação aos elementos maravilhosos da infância do Buda, o historiador tem de ser cético diante dessas narrativas que se multiplicam nas vidas de personagens religiosos ilustres, e que visam edificar os fiéis, mostrando o caráter excepcional do destino deles. Aceitar isso pertence ao domínio da fé.

3

Sexualidade e família

Sócrates, Jesus e Sidarta foram solteiros ou casados? Sabe-se algo a respeito de suas vidas conjugais e sexuais? Embora seus mais antigos biógrafos não se prolonguem nessas questões, oferecem, porém, indicações suficientes, muito plausíveis, diga-se de passagem, segundo nosso atual conhecimento dos contextos históricos nos quais eles viveram, para que se possa ter uma ideia bastante exata da situação matrimonial e da atitude de cada um em relação à sexualidade.

Sócrates, o pai de família que amava os jovens

Sócrates pertence a uma família da pequena burguesia: é casado, como exige o costume. Segundo várias fontes, ele teria se casado com uma só mulher, a rabugenta Xantipa, de quem teria tido três filhos. Nas páginas que dedicou ao pai da filosofia, Diógenes Laércio, historiador grego do início do século III, cita fatos que teriam acontecido no domicílio conjugal, notadamente um convite para jantar feito por Sócrates a "pessoas ricas", convite que atormenta a esposa por causa de seus parcos recursos financeiros. Conta também cenas domésticas que Xantipa inflige a Sócrates, arrancando-lhe o manto em público, ou atirando-lhe, num acesso de raiva, um balde d'água na cabeça. "Eu não disse que tanto trovão traria chuva?" — replica-lhe, então, friamente o esposo.

No *Fédon* de Platão, vê-se Xantipa e os filhos visitarem Sócrates na prisão, exatamente antes de ele tomar a cicuta. Outras fontes, apoiando-se em Aristóteles, afirmam que Xantipa foi sua primeira esposa, de quem ele teve um filho, Lamprocles; que depois se casou em segundas núpcias com Mirto, descendente de uma grande família patrícia, mãe de seus dois outros filhos, Sofronisco e Menexeno. Essa hipótese parece mais plausível se se pensa no episódio da prisão, descrito por Platão, mas do qual este não foi testemunha direta: o filho mais jovem de Sócrates tem então uns 10 anos, o próprio Sócrates tem 70, Xantipa, aproximadamente a mesma idade, o que permite afirmar que ela não poderia ser a mãe dessa criança.*

Na Grécia da época, ter uma esposa não exigia absolutamente fidelidade: todos os homens são casados com o objetivo declarado de fundar uma família, mas quase todos levam uma vida paralela, perfeitamente aceita, ou mesmo encorajada pelos costumes sociais. Um diálogo entre Sócrates e Alcebíades, contado por Laércio, resume a situação. A Alcebíades, que lhe pergunta como ele ainda suporta os gritos e as cenas da esposa, Sócrates replica que ele, Alcebíades, suporta bem os gritos de suas gansas. "É porque elas me dão ovos e gansinhos" — explica Alcebíades. E Sócrates responde: "É a mesma coisa; minha mulher me dá filhos."

---

* A esse respeito, ver *Socrate et les socratiques* [Sócrates e os socráticos], direção de Gilbert Romeyer-Dherbey, Vrin, 2001, p. 30-31.

Pelas narrativas de seus discípulos compreende-se que Sócrates tinha pouco contato com o mundo feminino, frequentando mais espontaneamente o mundo dos rapazes, como muitos de seus concidadãos. A se acreditar em Platão, "uma tendência amorosa leva Sócrates para os belos jovens: ele está sempre ao redor deles, fica aturdido com eles" (*O Banquete*, 216d). Sócrates reconhece isso no *Górgias* quando confessa a Cálicles estar "apaixonado por dois objetos: Alcebíades, filho de Clínias, e pela filosofia" (481d). E seu interlocutor diverte-se no início do *Protágoras*: "De onde vens, Sócrates? Mas é preciso perguntar? É da tua caça habitual. Acabas de correr atrás do belo Alcebíades" (309a).

Certamente Sócrates gostava dos jovens, mas em parte alguma ele diz explicitamente que tenha levado sua paixão fisicamente a termo: ao longo dos diálogos, antes aparece, apesar das demonstrações de afeto, a vontade do filósofo de recusar o amor do corpo em proveito apenas do amor da alma. É o mesmo Alcebíades, tão amado por Sócrates, que enumera em *O Banquete* os esforços em vão para tentar conquistar o corpo do filósofo. Assim, no primeiro encontro face a face, quando ele diz: "eu esperava que imediatamente ele mantivesse um desses discursos que a paixão inspira aos amantes quando se encontram sem testemunhas com o objeto amado" (217b). Perda de tempo. E ainda, lembrando os exercícios de ginástica, provavelmente nus, como era o costume: "De nada me adiantava", confessa ele (217d). Finalmente, a noite em que ele entra na cama do "divino e maravilhoso personagem", esbarrando mais uma vez na insensibilidade de Sócrates: "Ele só sentiu desdém e desprezo por minha beleza", diz Alcebíades (218d), acrescentando, sem ter ainda digerido o episódio: "Juro pelos deuses e deusas, levantei-me de junto dele tal como teria saído do leito de meu pai ou de meu irmão mais velho" (219c-d).

Buda, o renunciante

Em seu palácio, o jovem príncipe Sidarta gozava de todos os prazeres da vida, inclusive da presença de cortesãs que, segundo seus biógrafos, lhe dispensavam todo tipo de cuidados corporais, banhos perfumados, massagens sofisticadas, com os quais experimentava grande prazer. Ele tem apenas 17 anos quando escolhe uma esposa, sua prima, a princesa Yasodara, e se beneficia de um gineceu, como dita o costume. O jovem não rejeita nem os prazeres carnais, nem a opulência: durante 13 anos, vive plenamente os prazeres refinados que lhe são oferecidos; também não desdenha as orgias. A propósito, é depois de uma noite de festa que o príncipe decide abandonar tudo para se lançar na busca do Caminho. Uma noite que foi muito animada pelas musicistas, dançarinas e cortesãs, noite durante a qual ele gozou à saciedade de todos os prazeres, a ponto de adormecer no meio das mulheres seminuas. Quando acorda, enquanto todo o palácio ainda dorme, ele fica brutalmente enojado com a visão daqueles corpos em que só percebe um amontoado de cadáveres. É então que ele parte, não sem antes ceder a um último desejo: beijar o filho que acaba de nascer, um filho que ele chama de Rahula, que, literalmente, significa "correntes". Uma vez, porém, no quarto da esposa, quando se aproxima de Rahula e se prepara para tomá-lo nos braços e lhe dizer adeus, ele recua: os textos antigos explicam que o príncipe teme, ao fazer isso, apegar-se à criança e desistir de partir. Ele lhe vira as costas e deixa o palácio.

Aqui se interrompe, segundo os biógrafos, a vida sexual do Buda, que não deixará de exortar os seus a evitarem a procura da falsa felicidade que os prazeres dos sentidos oferecem. Porque a sexualidade é o desejo por excelência, e o desejo é o principal obstáculo no caminho do Despertar, ele proibirá sua prática aos que optarem pela via monástica, quer dizer, aos que aspiram a alcançar o nirvana nesta vida. A interdição constitui, juntamente com a de roubar, matar e mentir, os quatro parajika, as quatro proibições mais importantes das 227 regras de conduta impostas aos monges e monjas. Quanto aos leigos que se engajam nesse caminho, o Buda proclama uma lista reduzida de votos e, embora não lhes proíba as práticas sexuais, lhes pede para "evitar a má conduta" e se abster dessas práticas durante os *uposatha*, os "dias de abstinência".

Jesus, o celibatário

Jesus sempre esteve muito cercado de mulheres, inclusive no grupo de discípulos que o seguiam, o que pode surpreender na Palestina da época, na qual, segundo a tradição (válida para todo o perímetro do Mediterrâneo), as mulheres, eternas menores, somente saíam da tutela e da casa do pai para a do esposo.

As mulheres que seguiam Jesus por vezes cheiravam a enxofre: marginais, viúvas, prostitutas, "mulheres que tinham sido curadas de espíritos malignos e doenças: Maria, chamada Madalena, da qual haviam saído sete demônios; Joana, mulher de Cuza, o procurador de Herodes; Susana e várias outras que o serviam com seus bens" (Lucas, 8:2-3). As relações que mantém com elas nem sempre são bem-vistas pelos observadores da época. Na casa de um fariseu que o convida para a sua mesa, Jesus deixa "uma pecadora" molhar-lhe os pés com perfumes e lágrimas, secá-los com os cabelos — gesto tão sensual! — e depois cobri-los de beijos, para o espanto do anfitrião (Lucas, 7:36-39). E ele ainda vai mais longe, arriscando-se a escandalizar todos os que o ouvem: "Os publicanos e as prostitutas vos precederão no Reino de Deus" (Mateus, 21:31).

Jesus foi casado? Segundo suas próprias palavras, o casamento é um estado natural e nobre: "O Criador, desde o princípio, fez homem e mulher, e [...] Ele disse: Por isso o homem deixará pai e mãe e se unirá à sua mulher, e os dois serão uma só carne" (Mateus, 19:5). Mas é quase certo que Jesus não tenha se casado. Nem os textos do Novo Testamento, nem escrito algum dos três primeiros séculos evocam, nem mesmo por alusão, a existência de uma esposa ou de filhos. Essa pergunta não foi motivo de controvérsia para as primeiras gerações de cristãos, o que mostra que ela nem era feita. Ora, se Jesus tivesse sido casado e tivesse fundado uma família, não haveria razão para que seus discípulos não fizessem menção a isso. De fato, a tradição judaica insiste fortemente no casamento, e todos os rabinos, sacerdotes e doutores da Lei daquela época se casavam. A maioria de seus apóstolos, começando por Pedro, era casada, e a pergunta é por que teriam incitado o silêncio para dissimular um estado de vida que era então considerado perfeitamente compatível com uma missão espiritual. A realidade é, sem dúvida, muito mais simples: como dizem os Evangelhos, Jesus preferiu seguir a via dos profetas itinerantes e dos essênios, grupo de ascetas radicais que preconizavam o celibato com vistas a alcançar o reino de Deus, como as recentes descobertas dos manuscritos do Mar Morto nos confirmaram.

Assim sendo, mesmo que não tenha formado uma família, Jesus conheceu carnalmente uma mulher? Os quatro Evangelhos canônicos não dizem uma palavra sequer a esse respeito. Mas, entre os diversos textos apócrifos descobertos em 1945 em Nag Hammadi, no Egito, um deles faz referência a Maria Madalena, e por duas vezes a apresenta como a companheira de Jesus. Trata-se do Evangelho de Felipe, que data do século IV: "Três caminhavam sempre com o Senhor. Maria, sua mãe, a irmã desta, e Maria Madalena, que chamam de sua companheira" (Evangelho de Felipe, 59). Algumas páginas adiante, o texto explicita: "O Senhor amava Maria mais que a todos os discípulos, e Ele sempre a beijava na boca. Os outros discípulos o viram amando Maria; eles Lhe disseram: 'Por que tu a amas mais do que a nós todos?' O Salvador respondeu, e disse: 'Como é possível que eu não vos ame tanto quanto a ela?' (Evangelho de Felipe, 63). Esse segundo texto é citado por Dan Brown em *O Código Da Vinci** e constitui, segundo ele, a prova das relações carnais que Jesus e Maria Madalena mantinham.

Essa interpretação não pode ser excluída, mas é um pouco apressada. Primeiramente, porque o Evangelho de Felipe é o único entre dezenas de textos canônicos apócrifos que apresenta explicitamente Maria Madalena como a companheira de Jesus. E nada nos permite pensar que ele esteja mais de acordo com a verdade histórica. Pode-se objetar, segundo a tese do *Código Da Vinci*, que a Igreja conservou justamente apenas os Evangelhos que calavam esse segredo. É verdade, mas pode-se perguntar também por que numerosos Evangelhos apócrifos, igualmente rejeitados pela Igreja, não o mencionam. Por outro lado, e especialmente, uma leitura integral do Evangelho de Felipe defende outra interpretação. Esse texto, ao contrário dos Evangelhos canônicos, se apre-

* *O Código Da Vinci*. Trad. de Celina Cavalcanti Flack-Cook. Rio de Janeiro: Sextante, 2004. Retomo aqui os argumentos desenvolvidos em minha obra escrita com M. F. Etchegoin, *Code Da Vinci, l'enquête* [Código Da Vinci, a pesquisa], Laffont, 2004, Points Seul, 2006.

senta não como uma narrativa da vida de Jesus, mas como um florilégio de sentenças das quais algumas são atribuídas a Jesus, "o Senhor". A intenção do autor — ou dos autores — não é oferecer informação sobre os fatos, gestos e palavras do Cristo, mas transmitir um conhecimento esotérico por meio de um conjunto de palavras e metáforas místicas. Os especialistas de Nag Hammadi mostraram o caráter gnóstico desse texto, que é um verdadeiro tratado iniciático sobre as núpcias espirituais entre Deus e a alma humana decaída. Ora, essas núpcias místicas se realizam graças ao "sopro" (equivalente em copta ao *pneuma* grego) que o Cristo comunica aos seus discípulos. Numerosas passagens desse Evangelho de Felipe utilizam imagens de "abraço" e de "beijo" para significar a transmissão do sopro ao iniciado. Como exatamente observa o filósofo e teólogo ortodoxo Jean-Yves Leloup, o sentido do beijo de Jesus e Maria Madalena só pode ser compreendido se for situado não apenas no contexto gnóstico, mas também no do judaísmo místico. Ora, a palavra "beijo" em hebraico (*nashak*) significa "respirar junto". A mística judaica evoca a transmissão do sopro divino por meio da imagem do beijo, e é na conjunção dos beijos que se transmite o segredo que introduz à "câmara nupcial", o verdadeiro santo dos santos. Ora, é exatamente esse o tema central do Evangelho de Felipe — Jesus transmite o sopro aos seus discípulos para fazê-los entrar na câmara nupcial, e é igualmente pelo beijo que a transmissão entre os iniciados se manifesta: "O homem realizado se torna fecundo com um beijo, e é por um beijo que gera. Por isso beijamo-nos uns aos outros e concebemos mutuamente pelo amor que está em nós" (Evangelho de Felipe, 59). Nesse contexto simbólico e místico, Maria Madalena aparece muito mais logicamente como o modelo do discípulo perfeito do que como a amante do Cristo. É a razão pela qual os discípulos têm ciúme e perguntam a Jesus por que ele a ama mais que a eles. Como o modelo do discípulo perfeito (aquele que troca o beijo com o Senhor) é uma mulher, surge, assim, na lógica do texto, a união do masculino e do feminino que se apresenta como a imagem neste mundo da união da alma com Deus.

Que Jesus tenha devotado profunda afeição a algumas mulheres citadas nos Evangelhos, é certo. Que ele tenha mantido com elas, ou com algumas delas, relações sexuais, ninguém jamais saberá.

4

Nascimento de uma vocação

Como Sidarta, Sócrates e Jesus se tornaram mestres espirituais que marcaram profundamente seus discípulos? Que acontecimentos os convenceram a transmitir a mensagem e o ensinamento em praça pública? Como nasceu a vocação? Por acaso a escolheram, ou ela se impôs a eles?

Buda: o despertar interior

Os biógrafos do Buda, embora ávidos de histórias maravilhosas sobre seu nascimento e infância, nunca mencionam uma busca interior precoce. Em seu palácio, o jovem príncipe Sidarta está inteiramente absorvido pelos prazeres da vida. Mas ele acaba por se cansar. E o tédio se instala. Um dia, pede ao seu fiel cocheiro que atrele o cavalo para ir ao jardim real, fora do perímetro do palácio. O cocheiro obedece, apesar das ordens do rei, que, prevenido pelos astrólogos e brâmanes, se dedica ativamente a proteger o filho contra as quatro visões que arruinarão sua vida: a de um velho, a de um doente, a de um morto e a de um asceta.

Os *deva*, dizem os textos, intervêm mais uma vez na vida do jovem e lhe enviam o primeiro sinal: Sidarta, que até então não vira senão indivíduos jovens e com boa saúde, durante seu caminho cruza com um velho enrugado e desdentado, de cabelos brancos, curvado sobre uma bengala. Surpreso, ele interroga o cocheiro, que lhe responde: "É um velho. Uma pessoa que chegou à velhice." E acrescenta: "Todos os seres envelhecem desse modo, a juventude só dura um tempo, depois, o corpo se gasta."

Quatro meses depois, o príncipe decide ir uma segunda vez ao jardim. Vê, então, diante de si, um homem enfraquecido e febril, o corpo coberto de pústulas, jogado na rua pela família. É o cocheiro que o esclarece mais uma vez: "É um doente. E existem muitas outras doenças!" "E eu, vou ficar doente?", "pergunta o príncipe." "Ninguém é poupado", "diz o cocheiro." "Ter um corpo nos leva inevitavelmente a experimentar um dia ou outro a doença." É então que Sidarta toma consciência do caráter efêmero dos prazeres dos sentidos.

Passam-se mais quatro meses; Sidarta volta ao jardim e descobre um cortejo fúnebre; impressionado, ele fica sabendo o que é a morte: "Essas pessoas", explica-lhe o cocheiro "choram porque jamais voltarão a ver aquele que partiu e que levam para o campo de cremação". "Eu também morrerei um dia?", pergunta o príncipe, assustado." "Todos os seres que povoam o universo conhecerão a morte", diz o cocheiro. "Todo corpo acaba consumindo-se desse modo e chegando à morte." Esse terceiro sinal perturba o príncipe, que promete a si mesmo encontrar um meio de escapar da morte.

Quatro meses mais tarde, Sidarta sai pela última vez. Vê o último dos quatro sinais: um monge errante, segurando a tigela da esmola, absorto, o rosto sereno, numa profunda meditação. Ele compreende que sua rica condição jamais o protegerá da velhice, da doença, ou da morte, mas que deve partir à procura da verdade, pois somente ela poderá libertá-lo.

A tradição narra as condições dessa partida com muitos detalhes. Como vimos anteriormente, é ao final de uma noite de orgia que se produz o estalo decisivo para o jovem príncipe, então com a idade de 30 anos. Ele não se despede do filho, manda selar o cavalo e foge do palácio. Quando chega longe o suficiente, pede ao cocheiro que pare. Entrega-lhe a montaria, o manto e todos os seus bens, raspa a cabeça e inicia a segunda fase de sua vida, a da renúncia. Na floresta, o príncipe que se tornou mendigo recebe o nome de Gautama, literalmente, "aquele que é dotado de sabedoria digna de louvor", e se une a Alara e Udaka, dois dos mais famosos mestres iogues. Rapidamente ele consegue ultrapassá-los em matéria de concentração, mas percebe que as práticas iogues não bastam para libertá-lo do samsara, a roda das existências. Gautama prossegue então em sua busca, dessa vez junto a cinco dos mais rígidos ascetas. Esses renunciantes desviavam-se da lógica social do sacrifício, pregando sua interiorização, chegando até a adotar práticas extremas do sacrifício, nas quais eles viam o único acesso à libertação. Alguns deles, provavelmente, fizeram escola na época, mas a história esqueceu seus nomes: não há nenhum texto, nenhuma estela presente para testemunhar o percurso desses indivíduos que agiram para emancipar suas almas da incessante roda dos renascimentos (esta "roda" é uma cresça vinda da velha origem xamanística do Indo, e que se encontra, mesmo que numa forma menos explícita, em outras tradições primitivas da humanidade).

Voltemos, porém, a Gautama. Este passa cinco anos ao lado de seus novos companheiros, beira a morte por causa de tantas privações e sofrimentos, sem ainda conhecer a libertação. Ao contrário, dizem os textos, ele está num estado de enfraquecimento tal que se torna incapaz de se entregar à meditação. É então que ele decide abandonar essa via extrema que percebe não ter sentido. Recomeça a se alimentar normalmente, o que lhe vale ser expulso do grupo de ascetas.

Gautama retoma, pois, a estrada, sozinho, mais uma vez. Caminha até o limite de uma aldeia, o lugarejo Uruvilva, atual Bodh Gaya, e se instala, com as pernas dobradas, sob uma árvore, uma figueira (também chamada de *Ficus religiosa*), prometendo não se mover até descobrir a Verdade. Os textos canônicos contam que Mara, deus da Morte, desenvolveu todos os esforços para desviá-lo desse objetivo. Tentou assustá-lo com seus exércitos de demônios, tentá-lo com mulheres de extrema beleza. Inutilmente. Numa noite, Sidarta alcança o Despertar: compreende o mistério da vida e o meio de ajudar os humanos a se libertar do samsara, a roda dos renascimentos. Sidarta Gautama se tornará a partir daí "o Buda". Como os outros "Despertados" que o precederam, mas que não deixaram ensinamento, ele conquista o que a tradição chama de "seis conhecimentos": tudo ver, tudo criar, tudo ouvir, tudo saber, conhecer suas vidas anteriores e as dos outros, enfim, o conhecimento que permite sair do samsara.

Ele passa sete dias sentado no mesmo lugar, hesitando em partir para ensinar o dharma, a via que ele compreendeu, porque sabe que é árdua. As narrativas budistas contam que finalmente ele cedeu às súplicas do deus Brama, que se curvou diante dele, cercado pelos *deva*.* Assim, é por compaixão que, ao término dessa semana de intensa meditação,

* *Vinaya Mahavagga*, 1, 5.

o Buda retoma a estrada para uma carreira de pregador que durará 45 anos.

Jesus: o chamado de Deus

Da infância de Jesus, como já foi dito, não sabemos quase nada, a não ser que, desde cedo, ele manifestou uma verdadeira paixão pela questão religiosa, a ponto de sustentar, mal um adolescente, uma discussão com os rabinos do Templo de Jerusalém. As fontes cristãs e não cristãs das quais dispomos cobrem o único (e breve) período do ministério público de Jesus. Este durou entre um ano (segundo os sinóticos) e três anos (segundo João), sob o reino de Tibério César, quando Pôncio Pilatos era governador da Judeia.

A vocação de pregador de Jesus amadureceu lentamente durante seus primeiros trinta anos? Ele frequentou ou mesmo seguiu os "profetas" que pregavam nos povoados ou reuniam seus discípulos no deserto, na Palestina, onde o judaísmo, longe de ser monolítico, era atravessado por uma profusão de correntes? Ele frequentou a comunidade dos essênios? Não há alusão alguma a Jesus nos manuscritos de Quram, a biblioteca essênia encontrada a partir de 1947 nas grutas próximas a Jerusalém. Cabe dizer que a maioria dos manuscritos encontrados são anteriores ao século I de nossa era, tendo o grupo, ao que tudo indica, desaparecido depois da destruição do Templo, no ano 70. Não temos nenhum elemento que permita responder de modo convincente a todas essas perguntas.

A cena dos Evangelhos lembra uma vocação bastante súbita, quando Jesus, que tem "mais ou menos 30 anos" (Lucas, 3:23), encontra o primo João Batista em Betânia, às margens do Jordão. João Batista é, na época, um desses profetas que desenvolve uma ação ao mesmo tempo política (ele critica fortemente a transgressão da Lei por Herodes Antipas, tetrarca da Galileia) e religiosa: anuncia a vinda iminente do Messias, pede ao povo que se arrependa em vista do Julgamento Final e pratica o batismo de purificação pela água. Ele será preso e condenado à morte por Herodes, como narra o historiador Flávio Josefo: "Herodes mandou matá-lo, embora ele fosse um homem de bem e exortasse os judeus a praticarem a virtude, a serem justos uns com os outros e piedosos para com Deus para receberem o batismo [...]. Herodes temia que semelhante poder de persuasão suscitasse uma revolta, pois a multidão parecia pronta a seguir em tudo os conselhos daquele homem. Ele preferiu então prendê-lo antes que acontecesse alguma desordem."*

Jesus se fez batizar por João Batista no Jordão. Os evangelistas Marcos, Mateus e Lucas narram o acontecimento, especificando que, no momento em que Jesus saiu da água, o céu se abriu: o Espírito desceu sobre ele na forma de uma pomba e "do céu veio uma voz", dizendo-lhe: "Tu és meu filho" (Lucas, 3:21-22). João omite o episódio do batismo, mas mantém a narrativa da descida do Espírito — em forma de pomba — sobre quem Batista diz: "Este é o Eleito de Deus" (João, 1:34).

Segundo os três Evangelhos sinóticos, seu batismo é seguido de um retiro solitário de quarenta dias no deserto, durante o qual, como o Buda, ele combate Satã, que tenta desviá-lo de sua missão por meio de três grandes tentações às quais ele opõe resistência. Somente depois é que Jesus "voltou para a Galileia, com a força do Espírito, e sua fama

---

* *Antiguidades judaicas*, 18, 116-119.

espalhou-se por toda a região. Ensinava em suas sinagogas e era glorificado por todos" (Lucas, 4:14-15). Segundo João, dois primeiros discípulos, um deles André, irmão de Simão Pedro, ao ouvirem as palavras de Jesus, decidem aceitá-lo como mestre e segui-lo. Outros discípulos rapidamente juntam-se ao grupo: Pedro, o irmão de André, em seguida Felipe e Natanael, depois os Doze (número em relação simbólica com as 12 tribos de Israel). Posteriormente, o círculo se alarga e inclui numerosas mulheres. Jesus inicia sua carreira de pregador itinerante, percorrendo as povoações da Galileia, e praticando exorcismos, curas e milagres — elementos centrais de sua atividade, segundo o Novo Testamento.

O oráculo de Delfos e o daimon *de Sócrates*

Sócrates conheceu Anaxágoras, seu predecessor? Nascido em Clazomena, este é conhecido por ter introduzido a filosofia em Atenas. Uma lenda dizia que Sócrates, num primeiro momento, fazia parte dos discípulos de Anaxágoras, adepto da teoria do *Nous*, inteligência física, quase mecânica, ordenadora do universo. Essa teoria, na verdade, lhe custará a condenação à morte por ateísmo: Anaxágoras fugirá então de Atenas para acabar os dias em Mileto, berço dos filósofos. É muito provável que os dois homens se tenham cruzado em círculos de pensadores atenienses que ambos frequentavam. O *Fédon*, de Platão, e *As Nuvens*, de Aristófanes, permitem supor que, inicialmente, Sócrates tenha se interessado pelas especulações da física, que constituíam o essencial da reflexão desses filósofos que hoje chamamos de "pré-socráticos". Entretanto, Sócrates não demora a procurar em outra parte uma explicação para as perguntas que se faz: "A reputação que conquistei vem de certa sabedoria que está em mim. Que sabedoria é essa? Talvez seja uma sabedoria puramente humana", Platão o faz dizer em sua *Apologia* (20d), dando a entender que a atitude reflexiva sempre fez parte de sua busca. Por sinal, entre seus primeiros companheiros, alguns já se colocam como seus discípulos, quando ele ainda não tinha iniciado sua carreira de filósofo errante — carreira que poderíamos comparar à dos pregadores que, na mesma época, percorrem as distantes regiões do Indo e da Mesopotâmia.*

Sua carreira começa verdadeiramente com um estranho episódio que se situa por volta de 420 a.C., relatado notadamente por Platão em sua *Apologia*.** Sócrates tem então cerca de 50 anos. Querofonte, um de seus amigos de infância, vai a Delfos para consultar o oráculo da pitonisa, o mais célebre de toda a Grécia, que afirma: "De todos os homens, Sócrates é o mais sábio (*sophos*)." Na dúvida, Sócrates procura o homem que passa por ser o maior sábio de Atenas, um político cujo nome ele não revela. Volta confuso: "Pensei comigo mesmo: sou mais sábio que esse homem. Pode ser que nem ele nem eu saibamos nada de muito maravilhoso; mas há uma diferença: ele pensa saber, embora não saiba nada. E eu, embora não saiba nada, também não creio saber." Em seguida, ele se dirige aos poetas, aos artistas, a todos que, na cidade, são tidos como personalidades famosas. Ele chega à seguinte conclusão: não existe homem sábio. A partir desse momento, Sócrates vê no oráculo da pitonisa o sinal de uma missão divina, um encorajamento para ensinar. E a partir daí ele faz seu o lema escrito no frontão do templo de Apolo: "Conhece-te a ti mesmo."

---

* Ver meu *Petit Traité d'histoire des religions* [Pequeno tratado de história das religiões], Plon, 2008.
** *Apologia*, 21a.

Por várias vezes Sócrates insiste que existe nele uma "voz" interior, um daimon, literalmente seu "demônio", o gênio familiar que ele considera emanação da divindade. Este o acompanha desde que o oráculo de Delfos o designou, imobilizando-o quando necessário, ou estimulando-o quando está a ponto de faltar à sua missão, substituindo os oráculos para lhe fazer chegar a mensagem dos deuses. É essa voz que o ajuda a cruzar o caminho de Fedro para se lançar com ele no longo diálogo sobre o amor. Sócrates o reconhece com uma simplicidade desconcertante: "Quando eu estava, bom amigo, a ponto de cruzar o rio, senti o sinal divino e familiar que sempre me imobiliza no momento em que vou realizar uma ação. Acreditei ouvir aqui mesmo uma voz que me proibia de partir antes de me obrigar a uma expiação, como se eu tivesse cometido uma falta para com a divindade", ele conta ao companheiro (*Fedro*, 242). Seus discípulos não sabem bem o que pensar: "Ele dizia ter em si um gênio que lhe indicava o que deveria fazer e o que deveria evitar", comenta sobriamente Xenofonte (*Memoráveis*, 4, 8). Contudo, ficam estupefatos diante do estranho estado em que Sócrates pode de repente cair, estado de catalepsia que o mantém completamente imóvel, sem nem mesmo piscar. Isso podia durar alguns minutos ou várias horas, e então ele ficava inteiramente alheio a tudo o que acontecia à sua volta. Mergulhava numa espécie de meditação? Em conexão com seu *daimon,* com o qual mantinha uma relação privilegiada? Ninguém se arriscou a interpretar esses estados de êxtase. Platão fez deles uma descrição factual em *O Banquete*: "Numa manhã, nós o vimos de pé, meditando sobre alguma coisa. Não encontrando o que procurava, não se foi, mas continuou refletindo na mesma postura. Já era meio-dia. Os nossos o observavam e pensavam com espanto que Sócrates estava ali, sonhando desde a manhã. Aproximando-se a noite, os soldados trouxeram camas de campanha para o lugar onde ele se encontrava, a fim de se deitar ao fresco (estávamos no verão) e observar se ele passaria a noite na mesma atitude. De fato, ele continuou de pé até o sol se levantar. Então, depois de ter feito sua oração ao sol, se retirou" (220c-d).

A relação de Sócrates com o *daimon* é, evidentemente, embaraçosa para alguns historiadores da filosofia que fazem dele o pai do racionalismo ocidental. Tenta-se então reduzir o célebre *daimon* à voz da consciência, e fala-se dos êxtases de Sócrates como crises de epilepsia. Como acabamos de ver, não é o que dizem os biógrafos de Sócrates, eles mesmos perturbados com esse estranho fenômeno que se encontra, habitualmente, entre os xamãs das primitivas tradições, ou entre os místicos de todas as religiões quando se sentem, de repente, possuídos pela divindade e entram, por consequência, em estados de êxtase. De qualquer modo, quer creiamos ou não nos espíritos e nas forças sobrenaturais, é evidente que Sócrates apresentou-se e foi percebido por seus discípulos simultaneamente como um filósofo que se apoia na razão, e como um místico que se sente conectado a uma força superior.

5

Personalidade

Aparência física

O Buda, Sócrates e Jesus são facilmente identificáveis. De fato, uma convenção figurativa se impôs para representá-los, de modo que todos podem reconhecê-los facilmente, nesta ou naquela representação. No que diz respeito a Buda e a Jesus, considerando-se os elementos históricos de que dispomos, é evidente que não são seus traços reais que foram e ainda são representados, mas traços idealizados, projeções de um arquétipo de mestre forjado no espírito dos que reivindicaram para si seus ensinamentos. Os traços de cada um deles variam, aliás, de acordo com as culturas e as épocas. Jesus era do tipo semita mediterrâneo, mas nada nos é dito sobre sua aparência nas Escrituras cristãs. Por isso, ele é representado muito diversamente: ora louro, ora moreno; ora imberbe, ora barbado; ora suave, ora severo. O mesmo acontece com o Buda, que é indiano, mas do qual, por falta de descrição física exata nos textos mais antigos, as aparências não deixaram de variar ao sabor das culturas que adotaram o budismo ao longo de sua história. Assim é que existem Budas com traços indianos, chineses, japoneses, gregos (arte do Gandhara), birmaneses etc. Ele nunca é representado como um asceta magro, bem como só aparece vestido em certo número de figuras tradicionais. Na verdade, apenas Sócrates foi perfeitamente descrito por seus discípulos. E o que eles retiveram de modo unânime é bastante singular: ele era feio, terrivelmente feio!

Podemos nos surpreender com a insistência dos amigos de Sócrates em descrever sua feiura numa Grécia em que o culto da beleza chega a considerar a feiura uma falha moral. Alguns fisionomistas seus contemporâneos se debruçarão sobre seu caso para descobrir nele os sinais da intemperança e do vício. No século I a.C., Cícero lembra as grandes linhas desse verdadeiro processo por delito de fácies acontecido no tempo de Sócrates: "Não sabemos o julgamento que um dia fez sobre Sócrates o fisionomista Zopiro, que afirmava conhecer o temperamento e o caráter dos homens simplesmente pelo exame do corpo, dos olhos, do rosto, da fronte? Ele declarou que Sócrates era tolo e simplório porque não tinha a garganta côncava, porque todos os seus órgãos eram fechados e tampados; acrescentou até que Sócrates era dado às mulheres; o que, dizem, fez Alcebíades rir às gargalhadas" (*Sobre o Destino*, 5, 10).

Cada traço de Sócrates é grandemente detalhado nos escritos que lhe são dedicados. Lemos que o nariz é largo, achatado: "Sem querer te ofender, longe de ser belo, ele se parece contigo, com o nariz arrebitado como o teu, e os olhos saltados, exceto, contudo, que nele tudo isso é menos marcado que em ti", diz-lhe Teodoro, no *Teeteto* de Platão, ao descrever o jovem ateniense que ele distinguiu entre todos os outros (143e). Em seu *Banquete,* Xenofonte deixa Sócrates defender o próprio nariz achatado diante de Critóbulo, com o qual ele compete num concurso de beleza: "Se é verdade que os deuses nos deram o nariz para cheirar; pois tuas narinas estão voltadas para baixo, enquanto as minhas são arrebitadas para receber os odores de todos os lados" (5, 6). Outro elemento desfavorável: os lábios particularmente grossos do filósofo que responde a Critóbulo, que caçoa dele: "Ouvindo o que dizes", diz Sócrates, "até parece que minha boca é mais horrorosa que a dos asnos" (5, 7). Sem esquecer os olhos, "olhos de caranguejo", salientes, que lhe permitem "ver para os lados" (*Banquete*, 5, 5). A este retrato, Xenofonte acrescenta um "ventre proeminente" e um aspecto atarracado com "pernas e ombros de mesmo peso" (*Banquete*, 2, 19-20). Platão reconhece no mestre um "olhar de touro", para além do qual os que o conhecem sabem ver o homem (*Fédon*, 117b). Xenofonte e Platão são unânimes em comparar o mestre a um Sileno, demônio híbrido da mitologia grega, metade animal, metade humano.

A feiura de Sócrates não seria apenas, definitivamente, uma máscara que esconde uma incomparável beleza interior? É o que afirma Alcebíades, o jovem louco de amor pelo filósofo: "Por fora ele tem a aparência que os escultores dão a Sileno. Abri-o, porém, caros convivas; que tesouros encontrareis nele! Sabei que a beleza de um homem é para ele o objeto mais indiferente" (*Banquete*, 216e). Sócrates aponta isso na resposta ao mesmo Alcebíades: "Descobristes em mim uma beleza maravilhosa e muito superior à tua. De acordo com isso, querendo unir-te a mim e trocar tua beleza pela minha, parece que atendes muito bem a teus interesses, já que em lugar da aparência do belo queres adquirir a realidade e me pagar ouro por cobre" (*Banquete*, 219e).

Desse Sócrates feio em aparência, emana, portanto, uma aura incrível. Alcebíades admite que não foi a aparência exterior do mestre que o atraiu, mas uma magia que dele emana, semelhante à música que o sátiro Mársias toca, com uma pequena diferença: Sócrates não se utiliza de um instrumento para encantar, ele se contenta com o "simples discurso" cuja escuta basta para que "todos os ouvintes, homens, mulheres, adolescentes, sejam cativados e transportados" (*Banquete,* 215c-d). E define assim esse efeito: "Quando o ouço, o meu coração bate com mais violência que o dos coribantes; suas palavras me fazem derramar lágrimas, e vejo grande número de ouvintes sentir as mesmas emoções. Ao ouvir Péricles e nossos grandes oradores, achei-os eloquentes, mas eles não me fazem experimentar nada de semelhante. Minha alma não se perturbava nem um pouco, não se indignava absolutamente contra ela mesma de sua escravidão. Mas, ao ouvir este Mársias, a vida que levo me pareceu de modo geral insuportável" (*Banquete,* 215e, 216a). É absolutamente possível que os discípulos de Buda e de Jesus sentissem o mesmo ao ouvir os discursos de seus mestres.

Comparada às descrições detalhadas da feiura de Sócrates, a ausência de informações sobre a aparência física real do Buda é patente, acentuada pela predominância de dados lendários sobre elementos objetivos. Sobre Sidarta, o *Sutta Nipata,* texto do primeiro cânone páli, afirma que ele era "um nobre de grande beleza, capaz de conduzir um exército de homens ou uma tropa de elefantes" (3, 1). Quando jovem, usava cabelos longos, que cortará rente com a ajuda de sua adaga no dia em que decide deixar o palácio do pai para realizar sua busca junto aos ascetas das florestas. Os textos insistem igualmente nos seis anos de privações severas junto aos cinco ascetas que conhece no bosque de Uruvela, que resultarão no enfraquecimento do estado de sua saúde. Seu emagrecimento será tal que só lhe restará pele e ossos, uma pele ressecada e enrugada, inclusive na cabeça, murcha como uma velha cabaça mole secada ao sol. Porém, assim que ele abandona essas práticas extremas, recupera, dizem esses mesmos textos, a vitalidade anterior e a aparência robusta. Entretanto, no período que segue ao Despertar, qualquer descrição do personagem parece supérflua para as escolas budistas na medida em que Sidarta Gautama representa a partir daí um arquétipo, o do Buda, e possui as características de todos os "budas oniscientes" que o precederam. A única digressão que os biógrafos se permitem diz respeito à extrema limpeza do personagem, sobre a qual são unânimes em insistir: assim é que ele lava os pés todas as vezes que vem de fora, e banha todo o corpo com muita regularidade; também perfuma o quarto com um delicado odor de lótus quando se deita para a sesta. Mas não se encontra nenhuma alusão à corpulência, ao tamanho, à forma do nariz ou dos olhos. Se sua pele, diz a tradição, é "dourada", porque essa cor participa das 32 características próprias aos budas, do mesmo modo que os pés chatos, os calcanhares salientes, os dedos e artelhos alongados, a língua muito longa, a boca talhada num pequeno sorriso sempre presente, as mandíbulas guarnecidas de quarenta dentes perfeitamente implantados, dos quais quatro caninos brilhantes, os belos olhos castanhos, o peito largo e estufado, as panturrilhas perfeitamente cilíndricas, a voz agradável de se ouvir. Nessa recusa de descrever o personagem real vê-se a obediência a uma ordem do Buda, preocupado em evitar o culto de sua personalidade? Ou então, ao contrário, uma espécie de divinização do personagem? De fato, esse homem é muito rapidamente apresentado não como um indivíduo singular, mas como o arquétipo do super-homem, quase deificado pela escola Mahayana. Diga-se de passagem, assim que ele acede ao Despertar, os textos búdicos o nomeiam apenas por seu título, o Buda — um título, cabe lembrar, usado por todos os budas que o precederam e por aqueles que o sucederão.

A mesma recusa a uma descrição física realista se encontra entre as primeiras testemunhas da vida de Jesus. A única alusão dos evangelistas a seu físico aparece para descrever a criança que ele foi, que "crescia e tornava-se robusto" (Lucas, 2:40) e "crescia em sabedoria, em estatura e em graça diante de Deus e diante dos homens" (Lucas, 2:52). Do adulto, em parte alguma se diz se ele era belo ou feio, grande ou pequeno, imberbe ou barbado. Em compensação, os Pais da Igreja, que tentarão reconhecer nas profecias do Antigo Testamento o anúncio da vinda do Cristo, não hesitarão em descrever Jesus, ali buscando inspiração. Comentando a primeira carta de João, Santo Agostinho compara estas duas passagens bem contraditórias: a primeira que louva "o mais belo filho dos homens" (Salmo 45:3), que a tradição aplicou a Jesus; a segunda, a do quarto canto do "Servo sofredor", que não "tinha beleza nem esplendor que atraísse os olhares, nem aparência que nos deleitasse; desprezado e abandonado pelos homens, homem sujeito à dor..." (Isaías, 53:2-3).

Traços de caráter

Quais eram os traços marcantes do caráter de Sócrates? A tradição se refere a uma curiosa mescla de domínio de si e violentos ataques de cólera. Em todo caso, é o que conta o filósofo Aristóxeno de Tarento, ele próprio aluno de Aristóteles, e cujo pai, Espíntaro, foi amigo de Sócrates. Aristóxeno é autor de mais de quatrocentos tratados, entre os quais a vida de Sócrates e de Platão, mas a quase totalidade de sua obra infelizmente se perdeu. Foi baseado em seus escritos que, no século III, em sua *História dos Filósofos*, Porfirio de Tiro diz a respeito do mestre: "Ninguém era mais persuasivo graças à palavra, ao caráter que transparecia em sua fisionomia e, em resumo, a tudo o que sua pessoa tinha de especial, enquanto ele não estivesse encolerizado. Quando essa paixão o consumia, sua feiura era assustadora: então, ele não se abstinha de nenhuma palavra, de nenhuma ação."* Diógenes Laércio, em *Vidas e Doutrinas dos Filósofos Ilustres*, descrevendo as conversas de Sócrates "nas lojas e na praça pública", conta, citando um chamado Demétrio: "Em geral, durante suas buscas, ele discutia com veemência, dava socos no ar, ou arrancava os cabelos, não se preocupando absolutamente com os risos que provocava, suportando-os, ao contrário, com calma. Um dia, ele até mesmo recebeu um pontapé sem se zangar, e como as pessoas se surpreenderam, ele disse: 'Se fosse um asno que tivesse me batido, eu o processaria?'" Diógenes Laércio também afirma que, àqueles que lhe contavam comentários injuriosos a seu respeito, ditos por essa ou aquela pessoa, Sócrates se contentava em responder friamente: "Não, o que ele diz não se refere a mim." Os escritos de Platão dão a entender que o mestre teria se protegido dos saltos de humor com a ironia, que tinha o poder de enraivecer os outros — inclusive seus juízes, que, irritados com suas respostas espirituosas, acabam por condená-lo à morte. No *Euthyphron* (ou *Sobre a piedade*), que faz parte dos primeiros diálogos de Platão, redigido nos anos que se seguiram à morte de Sócrates, este enumera os motivos que podem levar um indivíduo, ou mesmo um deus,

* Citado por Émile Bréhier em *Histoire de la philosophie*, primeira edição, Félix Alcan, 1928, p. 70. [*História da filosofia*. Tradução de Eduardo Sucupira Filho. São Paulo: Mestre Jou, 1981.]

a se encolerizar: "Sobre que temas de disputa, na falta de se dispor de critério de decisão, seríamos dominados pelo ódio e pela cólera? [...] Não seria sobre o justo e o injusto, o bonito e o feio, o bem e o mal? Quando nos tornamos enfurecidos, tu, eu e todos os homens, não seria por causa desses temas de disputa, durante a qual não se pode recorrer a nenhum critério de decisão satisfatório?", pergunta ele ao interlocutor que o interroga a respeito dos deuses.

Não é o desprezo nem o ódio que exasperam Sócrates. Nem o medo tem qualquer efeito sobre ele: no momento de tomar a cicuta, enquanto seus amigos refreiam as lágrimas com dificuldade, ele lhes diz, sorrindo: "Amigos, por que chorar? Oremos aos deuses para que eles velem sobre a viagem." Aliás, ele é particularmente corajoso: é com sangue-frio que, durante uma batalha, enquanto os outros soldados fugiam, ele enfrenta o perigo para ajudar o jovem Alcebíades, que assim narra o episódio: "Foi ele quem salvou minha vida. Vendo-me ferido, ele não quis me abandonar, e evitou que eu e minhas armas caíssemos nas mãos dos inimigos" (*O Banquete*, 220e). De fato, apenas a ignorância e a estupidez parecem ter o poder de quebrar a carapaça de Sócrates e fazer com que perca o sangue-frio. Com Fedro, ele treme diante da ideia dos "discursos estúpidos" que alguns pronunciam. Em *O Banquete* de Platão, ele se dispõe, a seu modo, a desconstruir os discursos que se sucedem em torno do amor, e não dissimula sua irritação.

Assim como sobre sua aparência física, os textos budistas abordam muito pouco — e, se for o caso, com muitas precauções — as asperezas da personalidade do Buda: tendo alcançado a paz e vencido suas paixões, ele não pode, segundo a definição budista do Despertar, ser sujeito a entusiasmos, ou atingido pelos sofrimentos da vida. Assim, dele não se conhecem nem prazeres, nem indignações, a não ser antes de seu Despertar: amargor dos prazeres dos sentidos que ele experimenta a contragosto no palácio do pai; apego ao filho; decepções quando, durante seus primeiros anos de busca, confessa aos renunciantes que encontra sucessivamente: "Estou decepcionado com as experiências que acabo de realizar com vocês." São esses, mais ou menos, seus únicos sentimentos e emoções conhecidos. Assim que ele inicia a carreira de pregador, o cânone e as biografias budistas prendem-se à apresentação de um indivíduo dotado de perfeito domínio de si, sereno em todas as circunstâncias, que não exprime de modo algum preferência, desejo, aspiração, aversão, apego, emoção. Frente a essa total impassibilidade, o Buda será frequentemente interrogado sobre sua condição: é ele humano, ou um *deva*? Sua resposta é invariável: ele é "um ser que despertou" a ponto de o mundo no qual nasceu não o tocar mais (*Anguttara Nikaya*, 4, 36). Nos textos, ele se descreve habitualmente como um lótus vermelho que, nascido na água, se eleva continuamente e deixa de tocá-la; também ele nasceu neste mundo, mas se elevou, e este deixou de tocá-lo. Porque acedeu ao Conhecimento, o Buda fatalmente rompeu com todas as correntes e com todos os apegos. Ele é o "Tathagata", o homem que se foi.

Veremos mais detalhadamente, na segunda parte deste livro, que, quando de seu primeiro sermão pronunciado em Sarnath, o parque das Gazelas, situado não longe de Benares, ele enuncia as "quatro nobres verdades", resumindo sua doutrina, e que se sustentam em quatro frases primorosas construídas em torno da palavra *dhukka*, que designa o sofrimento com todas as nuances, psicológicas e filosóficas. A vida, diz ele, é *dhukka*. A origem da *dhukka* é a sede, o desejo.

Existe um meio de estancar a sede e, logo, a *dhukka*; esse meio é o nobre caminho óctuplo, ou caminho dos oito elementos justos. As infelicidades, os desejos, as paixões, devem então ser observados a partir daí como elementos externos que não são mais fonte de violência emocional. Somente o "caminho do Meio", o que ele prega, conduz à paz.

Na verdade, não se conhecem nem as lágrimas, nem os risos do Buda; nada se sabe de seus prazeres, ou de suas contrariedades, nenhuma história conta suas alegrias ou impaciências. Sabe-se que ele é compassivo, benevolente, mas seus gestos de compaixão não surgem como reação a um sentimento ou a uma emoção. O Buda se observa em plena consciência e insiste no caráter transitório de todas as coisas, o que certamente explica seu desapego por todas as coisas. Ele insistirá em dizer aos que seguem seus ensinamentos: não sintam nem ódio, nem amor por ninguém. A se acreditar na leitura dos textos mais antigos do cânone budista, o Buda pareceria desprovido de qualquer sentimento. Não se sabe, por exemplo, se sentia particular afeição por Ananda, seu primo, que se tornou monge, eleito entre todos os outros para se tornar seu confidente, seu auxiliar e seu mais próximo companheiro até sua morte. Os textos também não dizem o que ele sentiu no momento da conversão do pai e, sobretudo, do filho, o pequeno Rahula, ordenado com a idade de 7 anos. Eles se contentam em mencionar esses acontecimentos de modo inteiramente factual, sem dar nenhum relevo psicológico aos personagens envolvidos: estão felizes? Tristes? Emocionados? Desiludidos? O campo lexical do cânone budista jamais inclui a descrição de sentimentos e emoções.

Isso constitui uma diferença surpreendente em relação aos Evangelhos, nos quais as descrições do sentimento dos personagens, até mesmo dos mais secundários, assim como a encenação dos diálogos, ocupam um lugar importante. Se os Evangelhos se calam sobre a aparência física de Jesus, em compensação são prolixos sobre seu caráter. E não procuram apresentar uma imagem sobre-humana dele. Jesus aparece, muito ao contrário, plenamente humano, com sua sensibilidade, suas lutas, suas emoções, seus sentimentos. Descobre-se, por exemplo, um homem capaz de "comover-se profundamente" quando vê Marta chorar a morte do irmão Lázaro. Ele próprio, diante dessa mulher em lágrimas, "estremeceu", "chorou", e estremeceu novamente (João 11:32-43). A palavra grega utilizada pelos evangelistas para falar do poder das lágrimas de Jesus não é fraca: é a mesma que a de alguns historiadores da Antiguidade para falar das inundações do Nilo! Jesus não fica de olhos úmidos: ele derrama todas as lágrimas do corpo. É preciso dizer que Lázaro não é um desconhecido para ele: "Aquele que amas está doente", disseram-lhe seus próximos antes que ele fosse até Marta (João, 11:3). Jesus amava o amigo Lázaro, e o anúncio de sua morte o comove.

Nos Evangelhos, numerosas ocorrências o apontam como um indivíduo que tem "piedade" e sabe "consolar". Ele próprio se define como "manso e humilde de coração" (Mateus, 11:29). Seus numerosos gestos de compaixão para com os humildes, os pecadores, os párias, as mulheres, as crianças, são frequentemente descritos como manifestação de um sentimento profundo, e não simplesmente como a fria aplicação de um princípio moral. Com a samaritana, a "herege", ele dá prova de uma doçura com a qual ela mesma se surpreende: "Como, sendo judeu, tu me pedes de beber a mim, que sou samaritana?" (João, 4:9).

Mas suas cóleras também são frequentes. Ele fica extremamente encolerizado quando um fariseu, tendo-o convidado à sua mesa, espanta-se por ele não fazer antes suas abluções. Sem se constranger com a presença do anfitrião, ele se exalta, e seu discurso vai num crescendo: "Insensatos!", diz ele, incluindo em sua fala todos os fariseus: "O exterior do copo e do prato vós purificais, enquanto, por dentro, estais cheios de rapina e de perversidade!" E os amaldiçoa três vezes: "Ai de vós!" Nesse momento, um dos convivas, um legista, irritado com suas afirmações, diz a Jesus que tais palavras constituem um insulto coletivo aos representantes da religião. A resposta de Jesus também é cortante: "Igualmente ai de vós, legistas, porque impondes aos homens fardos insuportáveis, e vós mesmos não tocais esses fardos com um dedo sequer!" E, profetizando a cólera de Deus sobre aqueles que derramaram o sangue dos profetas desde Abel até Zacarias, ele acrescenta: "Sim, eu vos digo, serão pedidas contas a esta geração." Pronunciadas essas palavras, ele deixa a mesa do fariseu que, diz o Evangelho de Lucas, começou, assim como os escribas e outros fariseus presentes, a "persegui-lo terrivelmente" (Lucas, 11:37-53).

Jesus diz aos seus discípulos que se deve entrar numa casa dizendo: "Paz a esta casa." Mas cuidado com aqueles que não acolhem seus enviados! Contra esses, ele desencadeia sua cólera: "Até a poeira de vossa cidade que se grudou aos nossos pés nós a sacudiremos, para deixá-la para vós." E ele se revela capaz de amaldiçoar toda uma cidade, Cafarnaum, que descerá até o inferno porque ela não soube acolhê-lo (Lucas, 10:11-15). Assim, Jesus se encoleriza diante dos fiéis da sinagoga, que o censuram por querer curar um homem no sábado. Ele repassa "sobre eles um olhar de cólera, entristecido pela dureza do coração deles", antes de curar o homem (Marcos, 3:5). Conhece-se, sobretudo, seu ímpeto no Templo frente aos mercadores, quando ele os ataca fisicamente: "Tendo feito um chicote de cordas, expulsou todos do templo, com as ovelhas e com os bois; lançou ao chão o dinheiro dos cambistas e derrubou suas mesas" (João, 2:15).

Se as cóleras de Sócrates se manifestavam diante da recusa ou do mau uso do conhecimento, as cóleras de Jesus são provocadas pelo desvio da religião: a hipocrisia e o abuso de poder dos sacerdotes, o legalismo, o *business* religioso. Mas tanto um quanto outro exprimem por essas cóleras a paixão que os anima: para o filósofo, a busca racional do verdadeiro; para o profeta, a verdade do culto prestado a Deus. Suas cóleras não são uma fraqueza da razão, mas a expressão de uma força interior, que é a força da indignação.

Outro aspecto da profunda sensibilidade de Jesus se percebe quando ele admite ter "a alma conturbada" quando anuncia sua paixão a Felipe e a André, e quando lança a Deus este grito angustiado: "Pai, salva-me desta hora!" (João, 12:27). Ele está profundamente perturbado quando afirma aos Doze que antes que o galo cante, um deles o entregará (João, 13:21). No monte das Oliveiras, exatamente antes de sua prisão, Jesus ora intensamente para obter a paz interior, mas em vão, a se crer na continuação da narrativa: "Seu suor se lhe tornou semelhante a espessas gotas de sangue que caíram por terra" (Lucas, 22:43-44). Mas os Evangelhos falam também da alegria imensa que invade seu coração em certas horas: "Naquele momento, ele exultou de alegria sob a ação do Espírito Santo, e disse: Eu te louvo ó Pai, Senhor do céu e da terra, porque ocultaste essas coisas aos sábios e entendidos e as revelaste aos pequeninos" (Lucas, 10:21).

Sempre me impressionou o contraste entre o Buda e Jesus no que diz respeito à sensibilidade. Embora a tradição budista tenha sempre afirmado que Sidarta era apenas um homem, ela deixou dele uma imagem polida, impassível, sobre-humana, logo, inumana. Ao contrário, embora a tradição cristã tenha feito de Jesus um ser sobrenatural, ao mesmo tempo Deus e homem, os Evangelhos o mostram como um ser profundamente humano que experimenta — por vezes até as lágrimas — emoções tais como a tristeza e a alegria, o cansaço e o entusiasmo, a paixão e a cólera. Um surpreendente paradoxo!

6

Uma vida em movimento

Existe forte paralelismo entre os modos de vida de Sócrates, de Jesus e do Buda. Os três eram grandes caminhantes e os três fugiram das honrarias e das riquezas. Ao conforto e à estabilidade, preferiram a independência e o movimento; no lugar da doçura do lar, escolheram a rudeza das estradas. Sócrates teria podido levar a existência de um notável, tomar assento nas instâncias oficiais da cidade, ensinar, sem por isso sacrificar tudo ao ensino: preferiu percorrer as ruas de Atenas, pobre, malvestido e malvisto. O Buda e Jesus levaram essa lógica ao extremo, optando por uma vida "sem domicílio fixo". E foi dessa independência extrema, dessa ausência total de amarras, que eles tiraram uma imensa liberdade.

Caminhantes incansáveis

Sidarta foi certamente o mais resistente dos três, a julgar pelo número de quilômetros que percorreu através da vasta planície do Ganges: do reino de Kosala, no atual Nepal, ao reino de Magadha, no norte da Índia contemporânea, passando por pequenos reinos adjacentes. Ao lado dessas proezas de grande caminhante, Sócrates, que quase nunca saiu da cidade de Atenas, e Jesus, cujo sermão teve essencialmente como teatro as povoações da minúscula Galileia, com uma subida a Jerusalém, perdem o brilho. A caminhada do Buda também foi a mais longa: durou 45 anos a partir de seu Despertar. As escrituras canônicas descrevem os cinco primeiros anos dessa missão, mas contam muito poucas histórias referentes aos quarenta anos seguintes, e se calam completamente sobre os vinte últimos anos. Embora os sermões do Despertado estejam registrados no cânone budista antigo, o contexto e as circunstâncias que os cercaram são, porém, descritos apenas nas biografias mais tardias.

Nos primeiros tempos, a caminhada do Buda foi ininterrupta. Cercado pelos primeiros discípulos, logo seguidos por outros fiéis, monges e leigos, ele não dispõe de nenhum lugar fixo. Com os seus, dorme onde pode: "Na floresta, ao pé das árvores, sob as saliências rochosas, nas ravinas, nas grutas, nos cemitérios, nos bosques a céu aberto, na palha", explica o *Vinaya Cullavagga* (6, 4). A vida da comunidade se organiza em torno do mestre segundo um ritual que permanecerá: ao despertar, bem antes da aurora, uma meditação seguida de ensinamentos, logo após, a coleta de esmolas na aldeia ou cidade mais próxima, em silêncio, os olhos baixos, seguida da única refeição do dia, no chão mesmo, sob uma árvore, ou na beira de um caminho, como faziam todos os ascetas na Índia daquela época. A *sangha*, a comunidade, retoma a estrada, fazendo perguntas ao mestre que, ao longo das respostas inspiradas pelos casos concretos que lhe são apresentados, proclama o *vinaya*, ou regras da vida monástica, e explica os detalhes da aplicação de cada uma, posteriormente consignadas no cânone.

Contudo, uma situação desfavorável obriga o Buda a interromper alguns meses por ano essa incessante peregrinação: são as condições climáticas próprias das zonas tropicais, com um período de monção marcado pelas chuvas muito fortes que lhe revigoram, durante dois ou três meses, a natureza sedenta, e lhe oferecem uma brusca explosão de vitalidade. Desde as primeiras chuvas, delicados brotos verdes surgem da terra árida; uma vida animal, que se pensava extinta, logo começa a fervilhar. Assim, o pequeno grupo liderado pelo Buda começa a crescer o suficiente para provocar as queixas de pequenos agricultores, e depois de proprietários de terras, que os recriminam por saquear, com sua caminhada, as terras agrícolas e, em particular, os arrozais. Chamado pelo rei Bimbisara do Rajagaha, o Buda reconhece imediatamente seu erro, como diz o *Vinaya Mahavagga* (3, 1). Ele então modifica o funcionamento de sua comunidade: pousa com os seus num *kuti*, literalmente uma "morada de eremitas", que o rico Nandiya manda construir para ele na floresta de Migadavana. A partir daí, três meses por ano, durante a monção, os monges param para um retiro num lugar determinado, e as primeiras regras monásticas são adotadas, exigindo deles notadamente que limitem o contato com os outros ascetas. Entre duas permanências exigidas pelo período da monção, os monges retomam a estrada para difundir os ensinamentos do mestre através do vale do Ganges. Porque o Buda logo lhes concedeu a prerrogativa de ensinar o dharma, e também a de integrarem na *sangha* aqueles que, por sua vez, desejam tornar-se monges.

O Buda habitua-se ainda a fazer visitas regulares a diferentes comunidades que pululavam pelo vale do Ganges. Durante toda a sua vida itinerante, ele irá de uma a outra, certificando-se da harmonia e do respeito às regras, reiterando seus ensinamentos, trazendo nova luz a partir de suas experiências e das de seus companheiros. A fim de manter certa coesão entre as comunidades, ele institui a norma de um encontro, uma vez a cada seis anos, do qual todos os monges participam obrigatoriamente para recitação do *patimokkha*, literalmente, o vínculo, quer dizer, as regras de conduta monástica — 227 regras progressivamente elaborados e enumeradas no *Sutta Vibhanga*. Até o fim de seus dias, o Buda prosseguirá em sua marcha, percorrendo com seus discípulos cidades e aldeias do vale do Ganges para transmitir o dharma "aos deuses, aos homens e aos animais", segundo a fórmula usada na tradição budista.

A caminhada de Sócrates é muito mais limitada. Porém, ele também andou muito, mas quase que exclusivamente em Atenas. A bem dizer, Sócrates é mais um *flâneur* inveterado que um grande caminhante. Passeia nas ruas e praças públicas à procura de novos interlocutores, com os quais mantém longas conversas. Reconhece facilmente que essa é a principal ocupação de sua vida: "Falarei com todos os que eu encontrar, jovens e velhos, concidadãos e estrangeiros, mas de preferência a vós, atenienses, porque vós me tocais mais; e sabei que é isso o que o deus ordena, e eu estou convencido de que não pode haver nada melhor para a república do que meu zelo em obedecer à ordem do deus. Pois toda a minha ocupação é convencer-vos" (Platão, *Apologia de Sócrates*, 30a). Como o Buda e Jesus, Sócrates raramente anda sozinho. Geralmente, está cercado por discípulos, especialmente jovens que veem nele mais que um modelo, uma fonte de imitação. Assim ele descreve aos seus acusadores esse grupo que o cerca, e o qual suspeitam de querer corromper: "Muitos jovens ociosos e filhos de famílias ricas se apegam a mim e tiram grande prazer em ver de que modo eu examino os homens: eles mesmos em seguida tentam imitar-me e se põem a interrogar aqueles que encontram; e eu não duvido que eles encontrem abundante messe" (*Apologia de Sócrates,* 23c). Eles aprendem escutando-o, mas não formam propriamente uma comunidade; e em vida, Sócrates não delegará explicitamente a nenhum deles sua missão de parteiro.

Alcebíades descreve a excepcional resistência física de Sócrates durante a guerra: "Eu estava a cavalo, e ele a pé, pesadamente armado", conta ele (*Apologia de Sócrates*, 221a). E continua: "Então, eu via Sócrates triunfar não apenas sobre mim, mas sobre todos os outros pela paciência em suportar o cansaço. [...] O inverno é muito rigoroso naquelas regiões, e o modo como Sócrates resistia ao frio chegava ao prodígio. No tempo de mais forte gelo, quando ninguém ousava sair, ou pelo menos só se saía bem-vestido, bem-calçado, os pés enrolados em feltro e pele de carneiro, ele não deixava de ir e vir com o mesmo manto que tinha o hábito de usar, e caminhava descalço sobre o gelo muito mais facilmente que nós, que estávamos bem-calçados; a ponto de os soldados o olharem com maus olhos, acreditando que ele quisesse provocá-los. Assim foi Sócrates no exército" (*O Banquete*, 220a-b). Cinco anos antes de sua morte, por volta de 404 a.C., a tirania dos Trinta proibiu-o de ensinar e até mesmo de falar aos jovens. Ele então para de circular pela cidade, mas recusa o exílio. Pois Sócrates é profundamente apegado à sua cidade, da qual se julga filho fiel, respeitador de suas leis apesar de suas críticas contra os dirigentes.

A caminhada de Jesus é ainda diferente. Ela passa pelo deserto, mas para principalmente em pequenos povoados, onde o profeta itinerante pratica exorcismos e curas, prega o amor e a não violência, e atravessa campos onde as charnecas mediterrâneas alternam com terras férteis plantadas de vinhas, trigo, árvores frutíferas. Ele prefere Cafarnaum e Corozaim, que hoje seriam chamados de lugarejos, a Tiberíades e Séforis, que são burgos importantes. O evangelista João mostra-o atravessando pequenas localidades, fora das fronteiras da Galileia, que não são citadas pelos três Evangelhos sinóticos: a Samaria, Caná e Tiro, a margem oriental do lago de Tiberíades. Única exceção à sua atração pelas aldeias rurais: Jerusalém, capital da Judeia, aonde Jesus vai para as grandes festas. É para lá, de fato, em torno do Templo, que nessas ocasiões afluem os judeus da diáspora. E é, portanto, em Jerusalém que ele pode alcançar uma larga audiência. O ponto comum entre os povoados é que são todos judaicos. Jesus não se interessa pelos estabelecimentos romanos, nem pelas grandes cidades cosmopolitas. Aliás, a maioria de seus interlocutores é judaica, com poucas exceções, como o centurião romano de Cafarnaum, ou a mulher samaritana.

Ele se dirige mais frequentemente ao povo simples, aos camponeses, aos pescadores, embora pare às vezes nas sinagogas para ali ensinar, e na casa de notáveis para se alimentar. Vive sua errância como uma ordem divina: "Devo anunciar também a outras cidades a Boa Nova do Reino de Deus, pois é para isso que fui enviado", ele explica, ao deixar Cafarnaum (Lucas, 4:43). Contrariamente ao Buda, ele não cria uma comunidade monástica dotada de regras. Dedica-se antes a relativizar as regras em uso na ortodoxia judaica, notadamente as que dizem respeito ao sábado ou à pureza ritual. Ele não inaugura ritos — a não ser o da Ceia, na véspera da Crucificação —, nem ritmo de vida à maneira do Buda. Seus itinerários, como os de Sócrates, são abertos:

ele se deixa levar ao sabor dos chamados, do acaso, dos convites que lhe são feitos.

Sócrates vive, é certo, pobremente; anda descalço e miseravelmente vestido, não exerce nenhum ofício, mas reivindica pontos de ancoragem, os amigos, uma família, uma casa: "Não nasci de um carvalho ou de um rochedo, mas de um homem. Tenho parentes; e quanto a filhos, tenho três, um já na adolescência, os outros dois ainda pequenos", diz aos acusadores que multiplicam contra ele as suspeitas de perversão (*Apologia de Sócrates*, 34d). O Buda rompeu as amarras com os seus — os que ele receberá como discípulos, incluindo seu filho, não serão de modo algum privilegiados no interior da *sangha* —, mas criou novos pontos de ancoragem onde suas comunidades estabeleceram domicílio. Quanto a Jesus, não estabelecerá domicílio em parte alguma. O rompimento com sua própria família é radical: "Quem é minha mãe e meus irmãos?", responde ele quando fica sabendo que estes o procuram. E quando o previnem de que esses o esperam, ele aponta os que estão sentados à sua volta: "Eis minha mãe e meus irmãos" (Marcos, 3:31-34).

O desprezo pelas riquezas

Há outro ponto em comum entre os três personagens: o profundo desapego pelos bens materiais, até mesmo certo desprezo em relação ao dinheiro. Sidarta, vimos, nasceu filho de príncipe e viveu seus primeiros trinta anos na prosperidade. Sua busca espiritual começou com o rompimento com todos os bens materiais: na floresta aonde se faz conduzir pelo cocheiro, ele entrega a este sua montaria e até mesmo seu manto, para andar ao modo dos ascetas, tendo como único bem uma túnica e uma tigela destinada a receber as magras esmolas que lhe são feitas unicamente em forma de alimento. Aos primeiros discípulos que o seguem, os primeiros "renunciantes", ele pede que abandonem tudo: seus únicos bens serão a partir dali três túnicas (para se trocarem), um coador, um cinto e uma tigela; a condição deles é a de monges mendicantes, dependentes da caridade pública para o sustento. Nem por isso o Buda rejeita categoricamente os bens materiais como os ascetas das florestas. Quando lhe pedem para interromper suas peregrinações durante a monção, Nandiya manda construir um *kuti* para a comunidade, um eremitério, na floresta de Migadavana. Depois de Nandiya, numerosos mecenas aumentam os donativos à *sangha*: três parques lhe são oferecidos pelos três banqueiros de Kosambi, seduzidos por seus ensinamentos; constroem-lhe *kuti* em Rajagaha, em Kapilavatthu e em Savatthi; o rei Bimbisara lhe cede o bosque de bambu de Veluvana e, dizem, empregados que poderiam povoar toda uma aldeia. Ricos mecenas se encarregam da manutenção dos diferentes lugares de acolhimento, pondo à disposição da comunidade empregados e jardineiros. Um desses mecenas, dizem os biógrafos, construirá setenta *kuti* no bosque de bambu oferecido por Bimbisara, e preparará para a comunidade, na ocasião, um festim de rei. Mas aqueles que seguem o Despertado abandonam suas fortunas e seus apegos; é o caso, por exemplo, de Yasa, filho de um rico comerciante de Varanasi, que encontrou o Buda no parque das Gazelas e foi um de seus primeiros discípulos. Quanto aos leigos que decidem seguir seus ensinamentos, mas sem se engajar na via monástica, o Buda não pede que abandonem suas riquezas, mas que as usem com moderação, tendo sempre consciência do caráter transitório de todas as realidades terrestres. Se a maioria desses leigos pertence à gente simples, contam-se também entre eles reis, dentre os quais Bimbisara, príncipes, ricos comerciantes, jovens oriundos da nobreza. Eles frequentam os *kuti,* mantêm-nos com suas doações. A regra estabelece que seja dever dos leigos manter os monges em troca de bênçãos. Ao aceitar donativos importantes, o Buda insistirá sempre no fato de que se trata com isso de manter a *sangha*, e não de enriquecer.

A atitude de Jesus foi completamente diferente. Ele jamais se apoiou em mecenas e também não recebeu terras ou monastérios, mas os únicos donativos que aceitava eram as refeições oferecidas pelos seus. Com os discípulos, vivia na mais completa pobreza. Eles se preocupavam em saber o que iriam comer ou aonde iriam dormir? "Não vos preocupeis com a vida, quanto ao que haveis de comer, nem com o corpo, quanto ao que haveis de vestir", diz ele (Lucas, 12:22). Ele próprio é uma espécie de vagabundo que afirma ter apenas uma casa: o Templo, que ele chama de "a casa de meu Pai" (João, 2:16). Os bens de seus discípulos são reduzidos ao mínimo: enquanto o Buda prevê mudas de roupa para seus monges, Jesus lhes prescreve uma só túnica (Marcos, 6:56). Na estrada, a pobreza deles é radical: não têm pão, alforje ou dinheiro; simplesmente um cajado e sandálias (Marcos, 6:8-9). Não têm mais bens, tampouco laços. Jesus pede que esqueçam as famílias para segui-lo. "Deixa que os mortos enterrem seus mortos; quanto a ti, vai anunciar o Reino de Deus" (Lucas 9:59-60), aconselha àquele que lhe pede permissão para enterrar o pai. "Quem põe a mão no arado e olha para trás não é apto para o Reino de Deus" (Lucas, 9:61-62), diz ele a outro que deseja se despedir da família.

Jesus frequenta os pobres, mas nem por isso despreza os ricos. Alguns dos discípulos são até abastados: Marta, Maria e Lázaro de Betânia, e José de Arimateia, por exemplo. Da mesma forma que os publicanos, judeus malvistos pela população porque coletam os impostos para o ocupante romano; na casa deles, Jesus põe-se à mesa sem lhes pedir que mudem de ofício, exigindo simplesmente que sejam honestos em sua função (Lucas, 3:13). Na verdade, suas exigências mais radicais visam àqueles que aspiram a ser seus discípulos: ao jovem rico que lhe pergunta como conseguir a vida eterna, Jesus aconselha dar todos os seus bens para ganhar "um tesouro nos céus" (Mateus, 19:21).

Para a maioria, ele se contenta em denunciar a acumulação: de que servirão as abundantes reservas de trigo daquele que se preocupou em acumular riquezas, já que sua hora chega naquela mesma noite? (Lucas, 12:16-21). Ele não acusa o dinheiro, e sim o amor ao dinheiro: "Ninguém pode servir a dois senhores. Porque, ou odiará um e amará o outro, ou se apegará ao primeiro e desprezará o segundo. Não podeis servir a Deus e ao Dinheiro" (Mateus, 6:24). Aqueles que possuem, insiste ele, devem partilhar: "Dá ao que te pede" (Mateus, 5:42).

Sócrates, embora cidadão e pai de família, adota a mesma atitude intransigente em relação ao dinheiro e aos bens materiais, cuja futilidade sempre denuncia. Segundo Diógenes Laércio, o filósofo de Atenas citava constantemente este verso: "Ornamentos de prata e de púrpura servem ao teatro, não à vida." O mesmo Diógenes afirma que Sócrates recusava soberanamente os donativos que lhe eram oferecidos; assim foi com os escravos que Cármide quer lhe oferecer, ou com o terreno que Alcebíades quer lhe dar para que construa uma casa: "E se eu precisasse de calçados, e tu me desses couro para que eu mesmo os fizesse, crês que, aceitando-o, eu não seria ridículo?", responde ele com ironia. A única exceção notória a essa regra foi o escravo Fédon, comprado para ele por Críton, e que ele transformou em filósofo. Esse episódio fará com que Demétrio de Bizâncio diga que Sócrates era faustosamente mantido por Críton.

Ora, Sócrates vive em grande pobreza. Nos *Memoráveis*, de Xenofonte, Antífon fica chocado com isso: "Escravo algum ficaria na casa de um mestre se tivesse de ser tão pobre quanto és tu" (I, VI, 1). Em suas comédias, os dois autores rivais daquela época, Eupólis e Aristófanes, caçoam dele, tratando--o de miserável, vagabundo, mendigo. Apesar disso, para se distinguir dos sofistas por cujas aulas a juventude dourada de Atenas pagava caro, Sócrates recusa qualquer salário. É questão de honra exercer gratuitamente seu talento, pois, para ele, o ensino da verdade não poderia ser transformado em dinheiro. Pode-se portanto pensar que, provavelmente, ele dispunha de alguns bens que serviam para manter sua família.

Como eu lembrava no prólogo, Sócrates, Jesus e o Buda desejam mostrar que é preciso sair da lógica do ter. "Nem só de pão vive o homem", afirma Jesus diante do Diabo que o tenta no deserto (Mateus, 4:4). E ele responde aos discípulos que se surpreendem porque ele não come: "Meu alimento é fazer a vontade daquele que me enviou" (João, 4:34). Jesus lembra que o ser humano precisa de algo além de bens materiais para ser totalmente humano. Do mesmo modo, Sócrates afirmava que um homem só é plenamente homem quando procura a verdade e faz todos os esforços para sair da ignorância. E para o Buda, todo o sentido da vida humana consiste em vencer as ilusões do ego, num exercício interior por meio da prática da meditação. A lógica do ser é infinitamente mais importante que a do ter, lembram-nos eles, mesmo que nenhum dos três despreze a necessidade que a maioria sente em possuir bens suficientes para viver em segurança.

À mesa!

Ao longo de seu percurso, o Buda não deixará de chamar a atenção para o caráter efêmero e enganoso dos prazeres dos sentidos. Uma história resume esse ensinamento. Um dia, na floresta de Uruvela, o Despertado cruza com os príncipes Bhaddavaggi em perseguição a uma mulher que lhes roubou as joias. "Venerável, o senhor a viu?", perguntam eles ao sábio. Este se cala por um longo tempo, depois os interroga: "O importante é procurar uma mulher, ou procurar a si mesmo?" Desconcertados, os príncipes desmontam para ouvi-lo. "Os prazeres dos sentidos são como veneno, são motivo de apego, logo, de dor e sofrimento", explica-lhes o Buda, ilustrando sua afirmação com a impressionante imagem de uma refeição feita em sonho: o sonhador inutilmente prova dos pratos mais delicados, mas na verdade não se sente mais saciado do que quando adormeceu.

Nem por isso o Buda viveu na mais completa austeridade. Como vimos anteriormente, os donativos dos benfeitores incluíam, além das terras e dos *kuti*, empregados e cozinheiros. Seus biógrafos insistem no fato de que ele gostava de limpeza e trocava de roupa regularmente, e que na hora da sesta ele se retirava para o quarto perfumado de lótus. Embora seu ensinamento se dirija a todos, ele não hesita, porém, em responder aos convites dos senhores e nobres que o chamam para as suas refeições. Assim, quando o rico Yasna pronuncia os votos, o pai do jovem convida os dois monges para uma refeição "servida com o maior cuidado". O rei Bimbisara também o recebe frequentemente em sua mesa. Sabe-se que o Buda participa dessas refeições, e também que nelas ele se distingue por sua sobriedade.

Nem Jesus nem Sócrates recusam os convites que os ricos lhes fazem. Porém, diferentemente do Buda, eles têm a fama de participar plenamente deles, banqueteando-se com um prazer não dissimulado. Jesus não desdenha a boa mesa, a ponto de ser tratado de glutão e beberrão (Lucas, 7:34). As narrativas evangélicas são, de fato, pontuadas por refeições que marcam momentos ativos nas peregrinações do Cristo. Ele se põe à mesa na casa de publicanos, aceita convites de fariseus, mas aproveita cada uma dessas oportunidades para transmitir um ensinamento. Ele também é visto participando de uma refeição com Simão, o leproso, com Marta e Maria, com Mateus, como se partilhar o pão fizesse parte da comunhão tão especial que o ligava aos seus discípulos. Assim, algumas dessas refeições se tornarão emblemas da personalidade do Cristo, como vemos nas bodas de Caná, banquete durante o qual, tendo faltado o vinho, ele transforma, dizem, a água em vinho, ou então ainda na última refeição da Páscoa judaica que ele partilha com os apóstolos antes de ser preso, e durante a qual institui a Eucaristia.

Sócrates é igualmente inclinado a pôr-se à mesa, sobretudo quando a mesa é boa. Vários diálogos socráticos contêm, aliás, como fundo, cenas de refeições. Sem dúvida, não é por acaso que *O Banquete* seja ao mesmo tempo o título de um diálogo de Platão e o de um texto essencial de Xenofonte, em que Sócrates representa um papel importante.

Em *O Banquete* de Platão, que descreve a ceia oferecida por Agatão, Alcebíades pinta um quadro bastante desconcertante de Sócrates à mesa: "Se estávamos na abundância, ele sabia aproveitar melhor do que ninguém. Sem gostar de beber, ele bebia mais que qualquer outro, se fosse obrigado, e, o que vai vos surpreender, ninguém jamais o viu bêbado" (220a). E acrescenta: "Se acontecesse, como é bastante comum na guerra, de faltar víveres, Sócrates passava fome e sede com mais coragem que qualquer de nós."

Talvez aí esteja um dos sinais da sabedoria de nossos três personagens: ser capaz de partilhar plenamente o prazer de comer e beber com os outros, ou, em outras palavras, estar plenamente no mundo e, ao mesmo tempo, ser suficientemente desinteressado deste mundo, dos prazeres e das necessidades do corpo para resistir perfeitamente à fome, à sede e a todas as outras dificuldades da existência.

7

A arte de ensinar

Os ensinamentos do Buda, de Sócrates e de Jesus atravessaram os séculos e os milênios sem adquirir uma ruga. Isso se explica muito certamente pela exemplaridade de suas vidas, pelo caráter profundamente inovador de seus pensamentos diante das opiniões dominantes de suas respectivas épocas, e pelo alcance universal de suas mensagens. Parece-me, contudo, que outro fator contribuiu para a irradiação do pensamento e da personalidade deles tanto para discípulos imediatos quanto para todos os que os amaram e seguiram através dos séculos. Esse fator é a arte de ensinar, que eles levaram à perfeição.

Seus discursos impressionavam os que os ouviam, não porque fossem oradores excepcionais que adquiriram uma determinada técnica, mas porque sabiam falar a linguagem da verdade e porque encontraram palavras para exprimir uma autêntica experiência da sabedoria. Nenhum dos três foi, em seu tempo, um pregador único ou um pensador isolado: há 2.500 anos, o Indo era percorrido por quantidades de mestres subversivos, ascetas, iogues, alguns deles cercados por discípulos, e que se opunham à ordem védica. Quanto a Atenas, ela se abria aos pensadores, sofistas ou herdeiros dos primeiros filósofos de Mileto. A Palestina do tempo de Jesus era um viveiro de profetas erguendo-se contra a ordem estabelecida e anunciando a iminência de um novo tempo. E mesmo que alguns desses oradores tenham feito escola na época e conhecido alguma notoriedade, a história esqueceu seus nomes. Mesclando em diferentes graus o humor e a ironia, o ensino professoral e o diálogo, a história e o questionamento, a sedução da eloquência e o poder das ações, nossos três mestres permaneceram nas memórias. No entanto, cada um tinha sua maneira própria de discorrer e de ensinar: Sócrates, por meio do questionamento e da ironia; Buda, pela autoridade de seus sermões e seu olhar agudo sobre o mundo; Jesus, pela força e doçura de seus ensinamentos e atitudes. E os três atravessaram os séculos em razão do efeito de autenticidade e da exigência de verdade que emanava de suas vidas e de suas palavras.

A ironia socrática

Durante o primeiro terço de sua vida, Sócrates se empenha em responder à injunção de Apolo, o deus de Delfos, que, afirma ele na *Apologia* por meio da escrita de Platão, "me ordena, conforme acredito, e como eu mesmo interpreto, a passar meus dias estudando filosofia, analisando-me a mim mesmo e analisando os outros" (28e). Mas como ensinar e, sobretudo, o que ensinar quando se adota como princípio o estranho lema que Sócrates repete incansavelmente: "Só sei que nada sei"? (*Apologia*, 21d). O sábio, que passou a juventude interrogando poetas, artistas, filósofos, políticos, crê ter encontrado a resposta: "O deus", diz ele, "parece ter me escolhido para vos excitar e vos aguilhoar, cada um de vós, por toda a parte e sempre, sem vos dar descanso. Não encontrareis facilmente outro cidadão como eu, apegado a esta cidade pela vontade dos deuses, para vos estimular como uma mutuca estimularia um cavalo" (*Apologia*, 30d e 31a). Então, ele circula pelas ágoras e pelas ruas da cidade, interrogando a todos, evitando o campo onde "as plantações e as árvores não querem aprender nada" (*Fedro,* 230). Em Atenas, ninguém escapa às suas perguntas: comerciantes, pequenos artesãos, generais, sacerdotes, adivinhos, oradores, geômetras. O homem é feio, é verdade, contudo, simpático. Ele sempre entabula conversa num tom ao mesmo tempo brincalhão e admirativo. Os diálogos de Platão transbordam de tais conversas. Em *Laques*, Sócrates faz ao general uma pergunta sobre a coragem, e em *Eutifron*, ele ataca o teólogo a respeito da piedade. Em outros, os assuntos são mais comuns: "Ele nos fala sobre asnos espancados, ferreiros, sapateiros, curtidores; ele dá a impressão de sempre repetir a mesma coisa, tanto que não há no mundo ignorante ou imbecil que não faça de seus discursos objeto de zombaria", diz Alcebíades em *O Banquete* de Platão, acrescentando sobre esses discursos que, "à primeira vista, não deixaremos, sem dúvida, de considerá-los absolutamente ridículos" (221e). Ele não interroga seus interlocutores sobre os deuses, ou sobre a origem do mundo, mas sobre eles mesmos, sobre a relação deles com os deuses, sobre suas atividades neste mundo. Os interlocutores respondem de boa vontade ao grande ingênuo que os interroga e lhes dá razão quando começam a responder, continua fingindo ignorância, faz imediatamente mais uma pergunta ingênua e evidente, parece mais uma vez dar razão ao interlocutor, deprecia a si mesmo, duvida, se angustia. "Sócrates assumia sempre o papel de interrogador, nunca o de quem responde, pois ele confessava nada saber", escreve Aristóteles em *Refutações Sofísticas* (183b8). "Ele passa o tempo bancando criança com as pessoas", queixa-se Alcebíades (*O Banquete*, 221e). As perguntas se encadeiam, aproximando-se imperceptivelmente do alvo sem que o tom de Sócrates mude. "Meu melhor amigo", repete ele, agradecendo as respostas do mais esquivo oponente, descobrindo nelas uma falha, apontando-a inocentemente, incitando o interlocutor até que este, confuso, desanimado, perdendo pé e confiança, reconheça a própria ignorância e admita que não sabe nada. O general acaba desistindo quando se trata de definir coragem, o teólogo não sabe mais o que é piedade, e, nos *Memoráveis*, de Xenofonte, Hípias, irritado, pede ao mestre que pare de interrogá-lo e diga de uma vez por todas o que é a justiça. Mas Sócrates não para aí: a justiça, responde ele, não se define, pois é indefinível, ela se pratica. O sistema de valores do interlocutor desmorona bruscamente, e este começa, assim, segundo Sócrates, a alcançar a sabedoria. Nesse momento, o diálogo não se rompe, mas a bola muda de campo. A partir daí, é Sócrates quem deduz, e o interlocutor, salvo se for um sofista de má-fé, é quem lhe responde: "Tens razão!" Sócrates exige, aliás, essa adesão, graças à qual ele cava mais e mais a mesma pergunta antes de passar à seguinte. Os preconceitos são derrubados, as falsas ideias também. A partir de uma interrogação banal, a conversa se abriu na mente. Não é por acaso: segundo Sócrates, cada um traz em si a natureza humana inteira, que se revela desde que saibamos observá-la, que queiramos analisar quem somos e o que fazemos. É o "Conhece-te a ti mesmo", a ordem socrática tirada da máxima gravada no frontão do templo de Apolo, em Delfos, onde a pitonisa decreta que Sócrates era o mais sábio dos homens. Contudo, este, que levou o diálogo até um ponto impensável, não pretende com isso deter um saber. Ele afirma, ou finge afirmar, que aprendeu graças ao interlocutor, percorrendo com ele o caminho dialético. Ele sabia antecipadamente como a conversa terminaria? É provável. Mas certamente ignorava que voltas ela daria.

Essa é a arte socrática da maiêutica, do grego *maieutikè*, literalmente, "arte do parto". Referindo-se à mãe, a parteira Fenareta, Sócrates assim explica seu ofício a Teeteto, no diálogo platônico de mesmo nome: "Minha arte de parteiro compreende todas as funções que as parteiras realizam, mas difere da delas porque liberta homens e não mulheres, e espreita suas almas em ação, e não seus corpos" (150b). Ele insiste no aspecto técnico de seu trabalho, negando até mesmo a possibilidade de almejar qualquer saber sobre a sabedoria: "Sou estéril em matéria de sabedoria, e a censura que me fizeram por interrogar os outros sem jamais me declarar sobre coisa alguma, porque em mim não tenho sabedoria alguma, é uma censura que não deixa de ser verdadeira. O motivo é o seguinte: é o deus que me obriga a fazer o parto de outros, mas ele não me permitiu engendrar" (150c).

Sócrates dispõe de um instrumento infalível para exercer sua arte: a ironia, a *eironeia*, um termo, afirma Gregory Vlastos, cuja nova significação ele criou inteiramente, "uma palavra isenta de intenção mentirosa, ou de desejo de dissimulação", mas que exprime o contrário do que diz, "o instrumento perfeito para a zombaria".* É o "Certamente tens razão" com que Sócrates pontua seriamente seus diálogos, frase cuja virtude primeira é derrubar as defesas do interlocutor, encorajá-lo a avançar em sua própria reflexão, e mergulhá-lo,

* Gregory Vlastos, *Socrate, ironie et philosophie morale* [Sócrates, ironia e filosofia moral], *op. cit.*, p. 47.

num segundo momento, numa imensa perplexidade quando ele percebe que, de fato, não tem absolutamente razão. "Dizem que sou um original e que deixo as pessoas embaraçadas", admite Sócrates no *Teeteto* (149a). "Chega desse teu jeito de zombar dos outros, questionando e refutando a todos sem nunca aceitar dar contas do que quer que seja a ninguém, expondo tua opinião", diz-lhe Trasímaco, irritado, nos *Memoráveis* de Xenofonte (4, 4, 9). O fato mesmo de se recusar obstinadamente a se posicionar como mestre detentor de ao menos uma parcela de saber, sua modéstia declarada, por vezes sua palhaçada, fazem parte do jogo da ironia. Outro elemento desse jogo é a mordida, a "picada da mutuca", para retomar sua própria expressão, quando o interlocutor avalia repentinamente seus erros, e o véu que o cegava se rasga. No *Menon* de Platão, este compara Sócrates à "grande raia-elétrica que, como se sabe, nos mergulha em torpor, assim que nos aproximamos dela e a tocamos" (80a). Alcebíades completa o quadro dizendo a respeito do discurso socrático que "suas características são mais agudas que o dardo de uma víbora" (*O Banquete*, 218a).

A magia do verbo socrático é tal que seus interlocutores acabam todos por concordar: "Ao te ouvir, parece-me ter sido drogado. Você me enfeitiçou tão bem que eu não sei mais o que penso", lhe diz Menon (*Menon*, 80a). Fédon vai mais longe: "Onde encontraremos um mago tão perfeito quando nos tiveres abandonado?" (*Fédon*, 78a1). Depois da morte de Sócrates, seus discípulos, em particular Platão, perceberão que não têm outra saída a não ser transmitir sua arte de ensinar tal como ele a exercera, quer dizer, pelo recurso aos "diálogos socráticos", os *logoi sokratikoi*, que consistem num gênero literário em si, por meio do qual o leitor é posto na pele do interlocutor do pai da filosofia. E, como nota judiciosamente Pierre Hadot, "a máscara, o *prosopon* de Sócrates, desconcertante e imperceptível, lança a confusão na alma do leitor e o conduz a uma tomada de consciência que pode chegar à conversão filosófica".*

Os sermões do Buda

Quando, após anos de vãs experiências junto aos ascetas da floresta, Gautama se põe debaixo de uma árvore, ele promete não se mover até ter alcançado a Verdade. Frustrando os ataques de Mara, deus da Morte, e de seus demônios, com uma das mãos apoiada no chão, ele ascende à *boddhi*, a iluminação, quer dizer, a compreensão profunda: num átimo, dizem os textos, ele compreendeu o mistério da existência e o meio de ajudar os seres a se libertarem do samsara.

No parque das Gazelas de Sarnath, ele encontra os cinco ascetas com os quais tinha vivido algum tempo. Estes se espantam com sua expressão particularmente pacificada; interrogam-no sobre o que pode ter acontecido em sua vida. Como resposta, o Buda oferece magistralmente seu primeiro sermão, que expõe toda a sua doutrina. Dizem os textos que foi "num sábado de lua cheia, em 103 da Grande Era, pouco antes do pôr do sol". E determinam, provavelmente por causa da solenidade do tom, que, além desse pequeno grupo de cinco ascetas presentes em carne e osso, o auditório era constituído de "18 milhões de bramas e de um número incalculável de *deva*". "Ó monges", começa o Buda, com a interjeição que pontua seu discurso e que será a expressão que ele privilegiará ao iniciar todos os seus discursos, até para

* Pierre Hadot, *Éloge de Socrate* [Elogio de Sócrates], Allia, 1998, p. 14.

se dirigir a uma assembleia majoritariamente leiga. Porque não se pode perder de vista que, na concepção budista, o Despertar, a liberação do ciclo de renascimentos, permanece apanágio dos monges que tudo sacrificaram ao Caminho. É, pois, a eles que o Buda se dirige de preferência.

Os efeitos do primeiro longo monólogo do Despertado são imediatos: Kondana, um dos cinco, logo conhece o Despertar "como se sempre o tivesse conhecido"; os outros quatro ascetas que o ouviram convertem-se ao dharma, ao caminho do Buda, e se tornam seus primeiros discípulos, ou *bhikkhu* — literalmente, "aqueles que recebem" (*Vinaya Mahavagga*, 1, 6). Falando-lhes, encorajando-os a meditar, o Buda os levou a descobrir sua verdadeira natureza, fez com que reagissem como se retirassem uma espada da bainha, ou, como uma serpente, a pele velha. Ora, "a espada e a serpente são uma coisa, a bainha e o despojo, outra" (*Majjhima Nikaya*, 2).

Durante os 45 anos que se seguem, e qualquer que seja o auditório, multidão numerosa, ou um punhado de indivíduos, ou mesmo uma só pessoa (como o renunciante Nalaka que vai vê-lo no dia seguinte ao sermão de Benares, o Buda multiplica os ensinamentos em forma de discursos solenes dos quais o essencial está registrado nas cinco coletâneas do *Sutta pitaka,* a "cesta de discursos", um dos três pilares dos ensinamentos budistas. Pela forma, esses ensinamentos retomam a estrutura do sermão de Benares que expõe as Quatro Nobres Verdades do budismo, explicitando cada uma delas em três tempos: primeiramente, sua descrição; em seguida, as ações e meios que devem ser usados para realizá-la, e, finalmente, uma breve ilustração do tema por meio das realizações do Buda.

Enquanto Sócrates multiplica as perguntas para levantar o véu da verdade, o Buda oferece a Verdade porque a conhece. Ele não precisa usar de ironia para levar o interlocutor a descobrir sua verdadeira natureza: somente o caminho solitário da meditação, a partir dos ensinamentos oferecidos, pode conduzir ao verdadeiro conhecimento e à libertação, ele insiste. Diante de seus interlocutores, Sócrates exprime uma larga gama de sentimentos. O Buda se controla e adota um tom impessoal do qual nada de sua sensibilidade transparece. Ainda nesse aspecto os textos insistem sempre na transformação profunda que lhe aconteceu no momento do Despertar: o Buda renunciou às paixões, aos desejos, e ao mesmo tempo abandonou sua própria personalidade, seu eu, com seus egoísmos e suas imperfeições, para se tornar um buda cujas características são as de todos os budas que o precederam. Seus interlocutores parecem, aliás, compreender de imediato: seu discurso é apresentado como imediatamente convincente. "Deverão" ou "não deverão", ele se contenta em dizer aos que lhe perguntam sobre as regras de vida que terão de seguir. Expliquemos também que as perguntas que lhe fazem não são de modo algum armadilhas, ao contrário do que acontece com Jesus e Sócrates. Também não são agressivas: até mesmo o eremita Uruvela Kassapa, invejoso do Buda e certo de ter poderes superiores aos dele, se dirige a ele num tom muitíssimo cortês.

Embora não use da malícia socrática, o Buda recorre às vezes a um método que Jesus, como veremos adiante, utiliza repetidamente: as pequenas histórias, os contos, as parábolas que ilustram o enunciado de uma verdade. Uma delas é bastante conhecida: a do caçador gravemente ferido por uma flecha envenenada. O Buda a narra a Culamalukyaputta, um monge de sua comunidade que fazia uma pergunta altamente especulativa a respeito do universo. "Se o senhor não for capaz de me responder, eu abandono a comunidade", diz o monge. O Buda lhe respondeu basicamente o seguinte: se um caçador ferido por uma flecha envenenada exige, antes de ser tratado, conhecer o nome e a casta do arqueiro, bem como a madeira de que é feita a flecha, morrerá antes de ser tratado. Pouco importa que o universo seja permanente ou impermanente; eu ensinei como livrar-se da velhice, da doença, da morte e do mesmo modo que, para salvar esse caçador, é preciso antes retirar a flecha, descobrir a natureza do veneno e o antídoto e, depois, fechar a ferida. Perder tempo especulando não serve de nada para quem quer ser salvo.

Desde o início, o Buda pede aos seus monges que divulguem os ensinamentos que ele lhes comunicou. "Ó monges, parti agora", ele lhes diz, "parti para agir pelo bem e pela felicidade dos homens, por compaixão pelo mundo, pelo benefício, pelo bem e pela felicidade dos deuses e dos homens. Que não sejam dois a partirem na mesma direção. Ensinai o dharma e meditai sobre a vida santa e pura" (*Vinaya Mahavagga*, 1, 11). Eles podem, então, divulgar seus ensinamentos à multidão que é preciso salvar do samsara: a roda das existências. Ele também lhes concede o direito, até mesmo o dever, de ordenar novos monges (*Vinaya Mahavagga*, 1, 12). Talvez eles não tenham seu carisma, mas podem falar como ele, de forma ainda mais fácil pelo fato de suas palavras serem deliberadamente impessoais. Aliás, isso está de acordo com seu ensinamento, que nega a existência de uma personalidade estável, de um eu permanente cuja descrição apresentaria um interesse qualquer. Esses ensinamentos são o que hoje chamaríamos de cursos acadêmicos. Até mesmo as historietas que os ilustram não são tiradas de uma história pessoal: são contos ilustrativos com objetivo didático, que se revestem de uma característica geral. Uma única prerrogativa é restrita ao Buda: a elaboração do *vinaya*, conjunto das regras monásticas que ajudam os monges a sentir menos apego. Essas regras são progressivamente editadas em resposta a determinadas situações. Elas constituem o *Vinaya pitaka*, uma das três cestas de ensinamentos do budismo. Nessa coletânea, cada regra é seguida da história que envolve sua promulgação e das precisões que o Buda transmite sobre sua aplicação ideal.

Os encontros de Jesus

Sócrates foi o mestre do diálogo e da ironia; o Buda privilegiava os sermões magistrais; Jesus tem a particularidade de ter recorrido a todas as formas de discurso e a todos os tipos de registro, usando ao mesmo tempo o diálogo, a ironia, os sermões, e também confidências, orações, parábolas, palavras de autoridade, com o desejo evidente de se adaptar aos interlocutores aos quais se dirigia.

O ponto comum entre esses diferentes discursos é o uso do "eu". Um "eu" que estala, um "eu" presente, sem falso pudor e sem falsa modéstia. Jesus se manifesta, se entrega, ordena, implora, consola, mas sempre de um modo pessoal que, nesse sentido, difere radicalmente do discurso do Buda. Diferentemente também dos profetas bíblicos que o precederam, ele fala em seu próprio nome e afirma que sua autoridade provém de Deus, que ele chama de pai (*abba*) e do qual ele é o enviado: "Quem me despreza, despreza aquele que me enviou", diz ele (Lucas, 10:16; Marcos, 9:37). Ele pontua suas frases com a palavra hebraica *amen*, que significa "na verdade", às vezes até repetindo-a (*amen, amen* aparece em 25 ocorrências do Evangelho de João), para insistir na autoridade de seu "eu vos digo". "Ouvistes que foi dito aos antigos que...", declara à multidão que foi ouvi-lo, quando pronuncia o sermão da Montanha (Mateus, 5:21-48), "e eu vos digo...", acrescenta logo, afirmando assim a supremacia da palavra viva do presente sobre a tradição passada. É um modo de erguer a fé acima da lei, sem, contudo, tocar no que está no núcleo da Lei judaica: o amor a Deus e ao próximo. Jesus fala com autoridade, mas não evoca certos temas estimados por outros profetas bíblicos: assim é que jamais aborda o êxodo, a eleição e a salvação coletiva do povo de Israel. Como se quisesse virar a página de uma concepção coletiva do religioso em nome de uma mensagem nova, centrada na salvação individual, que passa pela fé, pela confiança e pelo amor a Deus.

Sua autoridade não admite contestação alguma: ele é o mestre que tem como missão não suprimir as leis, mas reformá-las, e mostrar-lhes o verdadeiro sentido. "Eu não vim revogá-las, mas dar-lhes pleno cumprimento" (Mateus, 5:17). Ele cita as leis referentes ao crime, ao adultério, ao divórcio, ao perjúrio, à vingança e ao perdão, ao amor ao próximo. O acesso ao Reino dos Céus, ele clama, passa pela nova justiça. Ele define o "modo de usar" da tradição que ele afirma querer reformar, e sugere uma lei nova baseada no amor, na justiça e no perdão. Ele é categórico: "Assim, todo aquele que ouve essas minhas palavras e as põe em prática será comparado a um homem sensato que construiu a sua casa sobre a rocha" (Mateus, 7:24). E o evangelista assim conclui a narração desse episódio: "Aconteceu que ao terminar Jesus essas palavras, as multidões ficaram extasiadas com o seu ensinamento, porque as ensinava com autoridade e não como os seus escribas" (7:28).

Frequentemente Jesus assume o risco de não ser compreendido e de chocar o auditório. Não somente porque contesta certos aspectos da tradição e critica violentamente o desvio do culto, mas também, como insiste várias vezes o Evangelho de João, porque assume um discurso misterioso.

Suas afirmações são quase sempre inacreditáveis e escandalosas para as mentes religiosas, e podem até mesmo suscitar a raiva de seus interlocutores, como quando declara sem rodeios: "Antes que Abraão fosse, Eu Sou" (João, 8:58). Ele esbarra na incredulidade porque existe algo de extremo e radical em seu discurso. Os que não pertencem ao seu círculo próximo não podem crer nele. "Sabemos que tens um demônio" (8:52), e tentam mesmo apedrejá-lo (8:59).

Muito frequentemente, como Sócrates, Jesus não fala necessariamente a um auditório numeroso. Quando está cercado apenas por seus discípulos, ele adota outro tom: não é mais o orador carismático que prega às multidões, mas o mestre espiritual que transmite seu mais secreto e profundo saber. Nos Evangelhos, sobretudo, mais uma vez no de João, as longas conversas com os discípulos são muitas e proporcionam diálogos aprofundados. Mas não é apenas aos discípulos próximos que ele fala de coração aberto. Com a mulher samaritana, com o fariseu Nicodemos, com o cego de nascença, o publicano, o rico notável, o profeta que fala às multidões se transforma num ser profundamente sensível, que continuamente guia as almas e lhes mata a sede de verdade. Emocionado com a fragilidade de uns, a cegueira ou os sofrimentos de outros, ele interroga e responde, oferece sua orientação e sua compaixão. Nessas narrativas, ele parte de uma situação singular, que todas as vezes se abre para um horizonte universal.

Na maioria desses encontros, implicitamente faz-se menção a um curioso poder que Jesus possui: o de já conhecer seu interlocutor, o que não deixa de desconcertar os interessados. Ele sabe, por exemplo, que Nicodemos, que vai procurá-lo às escondidas, de noite, é um doutor da Lei, e ele finge surpreender-se com suas perguntas, utilizando uma forte ironia com marcas socráticas: "És mestre de Israel e ignoras essas coisas?" (João, 3:10). Conhece também o passado da mulher samaritana, encontrada diante de um poço, cinco vezes divorciada e vivendo em concubinato com um homem que não é seu marido, à qual ele se dirige com a mesma ironia: "Vai, chama teu marido" (João, 4:16).

Outro traço característico dos Evangelhos é que eles mostram Jesus orando ao seu "pai", e nos deixam entrar na intimidade dessa troca. De fato, essas orações, que hoje podem nos parecer banais, na época revolucionam os costumes religiosos pelo tom intimista e afetuoso. "Pai, aqueles que me deste quero que, onde estou, também eles estejam comigo, para que contemplem minha glória, que me deste, porque me amaste desde a fundação do mundo. Pai justo, [...] eu lhes dei a conhecer teu nome e lhes darei a conhecê-lo, a fim de que o amor com que me amaste esteja neles, como eu" (João, 17:24-26), diz ele numa prece que rompe, de modo comovente, com a imagem dominante de Deus nas sociedades patriarcais, Deus poderoso, mas distante e por vezes aterrorizante. Diante da multidão aglomerada ao pé da montanha para ouvi-lo, quando ele se dirige a Deus, Jesus abandona o tom de mestre para se tornar, por sua vez, discípulo: "Pai nosso que estais no céu, santificado seja o vosso Nome, venha a nós o vosso Reino, seja feita a vossa Vontade, assim na terra, como no céu" (Mateus, 6:9-10).

Se há mais um traço marcante no modo de Jesus ensinar, e isso qualquer que seja o auditório, é o uso de parábolas que a vida cotidiana lhe inspira. É sua cultura oriental que o provoca a adornar seu ensinamento espiritual com historietas "profanas" contadas de maneira familiar? Jesus faz intenso uso da parábola, e os evangelistas não deixam de sublinhar esse fato: "E disse-lhes muitas coisas em parábolas", conta

Mateus, ao relatar um discurso de Jesus diante da multidão aglomerada na praia (13:3). E insiste: "E sem parábolas nada lhes falava" (13:34). Acontece de até mesmo seus discípulos mais próximos se surpreenderem com isso: "Por que lhes falas em parábolas?", perguntam eles. E Jesus responde: "Porque a vós foi dado conhecer os mistérios do Reino dos Céus, mas a eles isso não foi dado." E acrescenta: "É por isso que lhes falo em parábolas: porque veem sem ver e ouvem sem ouvir, nem entender" (Mateus, 13:10-13). Essas histórias, diz ele recorrendo mais uma vez a uma parábola, são como sementes lançadas na terra, que germinam e crescem, noite e dia, sem que o semeador saiba como, até o dia em que a terra produz a erva, depois a espiga e, por fim, o trigo na espiga (Marcos, 4:26-29). Então, para falar do Reino aos que não podem entender a linguagem da teologia, Jesus utiliza imagens simples: as flores nos campos, a vida dos ceifeiros ou a dos viticultores.

Tomemos como exemplo uma das parábolas mais conhecidas dos Evangelhos, a do filho pródigo (Lucas, 15:11-32). O filho mais novo pede um dia ao pai a parte que lhe cabe da herança. Este a concede, e o filho deixa a casa familiar e vai dilapidar seus bens, levando uma vida de prazeres. Acaba na miséria, trabalhando algum tempo como ajudante numa fazenda, alimentando os porcos, mas sempre muito pobre e passando uma fome cruel. Decide, então, voltar para a casa do pai e pedir-lhe que este o aceite não mais como filho, já que ele pecou, mas como um de seus empregados. O pai o vê de longe e, tomado de compaixão pelo filho, lança-se sobre ele e o abraça. Ordena aos servos que lhe tragam belas roupas, um anel que lhe põe no dedo, calçados, e manda matar um novilho gordo e preparar a festa. Ao voltar do campo, ouvindo a música e as danças, o filho mais velho enche-se de raiva: toda aquela festa para o irmão que dilapidou a herança familiar com prostitutas, enquanto ele, o filho que permaneceu no lar, jamais foi festejado? O pai lhe explica: "Tu, meu filho, estás sempre comigo, e tudo o que é meu é teu. Mas era preciso que festejássemos e nos alegrássemos, pois este teu irmão estava morto e tornou a viver; ele estava perdido e foi reencontrado!" Com essa história Jesus pretende mostrar a liberdade de escolha oferecida por Deus, que deixa seus filhos partirem, se quiserem, e também sua misericórdia quando os acolhe em seguida com alegria, sem julgar ou condenar, desde que eles compreendam seus erros, se arrependam e voltem para ele.

Os milagres de Jesus e do Buda

Uma certeza inquebrantável animava os discípulos do Buda e de Jesus: tinham certeza de que seus mestres estavam envoltos de uma "missão" de natureza cósmica e divina: salvar a humanidade. Sem dúvida, a necessidade de validar o caráter excepcional do destino deles, e assim conferir autoridade às suas afirmações, incitou seus biógrafos a pôr em evidência muitos milagres, verdadeiras "provas" da missão deles.

Segundo a tradição budista, o Buda adquire com o Despertar a lembrança de suas 547 existências passadas e a certeza de ter destruído dentro de si os desejos que continuam no samsara. Desse modo, ele desenvolve os seis conhecimentos de que gozam os budas: a capacidade de tudo ver, de tudo ouvir, de ler os pensamentos, de tudo criar e transformar, de conhecer as existências anteriores de todos, enfim, de expandir o eu. Conhecimentos que concedem àquele que os possui poderes milagrosos. De modo "natural", conforme é explicado, já que esses poderes são consequência dos progressos realizados no conhecimento e na experimentação do Caminho.

Na Índia daquela época, tais poderes não eram privilégio dos budas: os iogues mais bem-sucedidos eram igualmente capazes de prodígios, como nos relatam os textos. Quando desenvolve sua busca na floresta, Gautama encontra alguns dos mais considerados dentre eles, mas rapidamente consegue excedê-los. As práticas mágicas não são, porém, o objetivo que ele procura: sua busca é a da pureza absoluta do espírito. Por outro lado, ele proibirá que os discípulos demonstrem, ou façam uso desse tipo de poderes, tanto ele os desaprova. A verdade é que os textos búdicos, tanto os primeiros textos páli quanto as biografias posteriores, relatam muitos milagres que o Buda teria realizado com o único fim de convencer os incrédulos e reforçar a confiança daqueles que tinham fé em sua doutrina. Desta forma, ele concede o pedido do rei Pasenadi do Kosala quando este lhe suplica para fazer uma demonstração de seus poderes. O Buda anuncia que o fará diante dos habitantes do reino, sob uma mangueira. Invejosos, os demônios arrancam todas as mangueiras do reino, exceto uma, intocável, num pequeno terreno pertencente ao rei. Não é tempo de mangas; um único fruto, magnífico, cresceu, porém, naquela árvore. O jardineiro o colhe, entrega-o ao Buda, que o come; ele pede ao jardineiro que plante o caroço na terra. Imediatamente, brota uma enorme mangueira sob a qual o Buda pode demonstrar seus poderes: ele faz aparecer uma aleia de pedras preciosas flutuando no ar, alça voo, faz jorrar chamas das orelhas, dos olhos, dos poros de sua pele, cria um clone com o qual se põe a conversar. Depois de tais prodígios, não é de espantar que ninguém no reino ponha em dúvida sua doutrina!

Outro episódio o põe em cena no eremitério de Uruvela Kassapa, um asceta conhecido por se entregar, com seus discípulos, a práticas extremas. Quando Uruvela dá a entender ao Buda que não dispõe de lugar para alojá-lo, este sugere instalar-se na cozinha dele, mas o anfitrião o previne que esse cômodo é a reserva de caça de um temível dragão-serpente. Mesmo assim, o Buda se instala na cozinha e começa sua meditação quando a besta furiosa avança sobre ele cuspindo fogo. O Buda paga na mesma moeda, e a batalha do fogo dura a noite toda. Uruvela está certo da vitória do dragão, mas, pela manhã, quando a batalha termina, ele fica surpreso ao ver o Buda sair da cozinha. De fato, este conseguiu subjugar a criatura, não pelo uso das chamas que fazia brotar graças aos seus poderes, mas pela força de sua benevolência. O eremita reconhece, então, os poderes do Buda, mas se considera tão poderoso quanto ele. Na noite seguinte, ele assiste ao espetáculo de quatro *deva* de corpos cintilantes que se instalam perto do Buda para que ele lhes ensine o dharma. O eremita persiste em pensar que o Buda dispõe de grandes poderes, mas que eles não são superiores aos seus. A fim de quebrar o orgulho daquele iogue, o Buda lhe oferece uma demonstração de seus prodígios. Em vão: Uruvela aferra-se à sua ideia. Só resta um recurso ao Buda para trazer o eremita ao seu Caminho: falar-lhe. "Tu és como um vagalume que se considera o sol", lhe diz ele. Essa única palavra tem êxito, enquanto todos os milagres se revelaram inúteis. O eremita imediatamente engole o orgulho e pede ao Despertado que o aceite como discípulo. Tocar o coração com uma única palavra não seria talvez o maior dos milagres?

A situação de Jesus é comparável à do Buda no que se refere à "banalização" dos poderes com os quais os "profetas" messiânicos pretendem ser dotados. Em suas *Antiguidades Judaicas*, redigidas no final do século I, o historiador Flávio Josefo descreve alguns deles, tais que Judas, filho de Ezequias, Simão, o escravo de Herodes, ou ainda Teudas, que, no ano 44, conclamou a multidão a segui-lo com seus bens para assistir à separação das águas do Jordão que ele realizaria, e atravessar o rio a seco. Teudas, que ameaçava a ordem pública, foi preso e decapitado pelas tropas do procurador Cúspio Fado. Simultaneamente, a mística judaica (*merkebah*), que surgiu no século I a.C., obteve imenso sucesso popular. Seus mestres são célebres por seus poderes mágicos, e os fiéis correm em busca dos mais célebres dentre eles, quer dizer, daqueles que demonstram maiores poderes. Contudo, além dessa semelhança entre os dois contextos históricos, deve-se estabelecer uma diferença entre os prodígios atribuídos ao Buda e aqueles que são creditados a Jesus. Com relação ao primeiro, os milagres são sempre contados num contexto que vem confirmar a autoridade do mestre. A narração deles tem qualidade pedagógica e frequentemente apela para as crenças populares míticas, como o combate contra o dragão, que acabo de citar. Como, por outro lado, essas narrativas foram escritas vários séculos depois da morte do Buda, é muito provável que a maioria tenha sido inventada para edificar o leitor.

Muito diferente é o caso de Jesus. Por um lado, porque essas narrativas foram compostas ou por testemunhas oculares, ou pelos discípulos que recolheram testemunhos diretos; por outro, e sobretudo, porque os milagres atribuídos a Jesus são numerosíssimos e estruturam todas as narrativas evangélicas. Dizer que são todos míticos resultaria em invalidar o testemunho das Escrituras e em amputar a quarta parte dos textos fundadores do cristianismo. Para a mente moderna, a dificuldade é tal que alguns exegetas cristãos afirmam acreditar na palavra evangélica "apesar dos milagres"! Ora, se parece que alguns prodígios foram acrescentados com o fim de embelezar ou edificar — por exemplo, o tremor de terra e os mortos que saem das tumbas e passeiam na cidade depois da morte de Jesus (Mateus, 27:51-53) —, outros, como a multiplicação dos pães e a cura dos doentes, são contados por todos os evangelistas com muitos detalhes concretos. Parece-me, portanto, impossível desconsiderá-los sem negar a credibilidade dos quatro Evangelhos. O crente tomará esses milagres tais como se apresentam, e o incrédulo poderá pensar que se tratam de invenções, de exageros, ou de acontecimentos que passam por inexplicáveis, mas que poderiam, num momento futuro, quando a ciência tiver progredido mais, encontrar uma explicação racional e natural.

O próprio Jesus afirma deter poderes extraordinários que lhe foram conferidos por Deus. Curas e exorcismos são, segundo o Evangelho, elementos centrais de sua atividade. Aliás, é como curador que ele inicia sua carreira: "Ele percorria toda a Galileia, ensinando em suas sinagogas, pregando o Evangelho do Reino e curando toda e qualquer doença ou enfermidade do povo. A sua fama espalhou-se por toda a Síria, de modo que lhe traziam todos os que eram acometidos por doenças diversas e tormentos, endemoniados, lunáticos, paralíticos, e os curava", conta Mateus (4:23-24), acrescentando que, em consequência disso, "as multidões numerosas puseram-se a segui-lo" (4:25).

Jesus realizou um grande número de milagres. Os quatro Evangelhos descrevem 35 deles com precisão: 17 curas, seis exorcismos, nove intervenções sobre a natureza e três ressurreições. Mas eles explicam que essa lista está longe de ser exaustiva: "Todos os que tinham doentes atingidos de males diversos traziam-nos, e ele, encostando em cada um, curava--os. De um grande número também saíram demônios, que vociferavam", corrobora Lucas (4:40-41). Nas cidades que ele atravessa, "ao entardecer, quando o sol se pôs, trouxeram-lhe todos os que estavam enfermos e endemoniados. E a cidade inteira aglomerou-se à porta. E ele curou muitos doentes de diversas enfermidades, e expulsou muitos demônios", acrescenta Marcos (1:32-34). A quarta parte do Evangelho de Marcos é constituída de relações de milagres; Mateus e Lucas os selecionam e acrescentam outros. João se contenta em relatar sete, mas ele evita sistematicamente a palavra "milagre", preferindo "sinal" — sinal divino, evidentemente. A propósito, em Lucas, é a Deus que Jesus se refere para explicar essas proezas: "Se é pelo dedo de Deus que eu expulso os demônios, então o Reino de Deus já chegou a vós" (11, 20).*

Entre todos os milagres, apenas um é contado pelos quatro evangelistas: o da multiplicação dos pães. É assim que o narra João: com a aproximação da festa da Páscoa, Jesus, acompanhado por uma grande multidão de aproximadamente 5 mil homens, se encontra na Galileia. Ele se preocupa em alimentar aquela multidão e interroga Felipe e André, que lhe mostram uma criança que tem cinco pães de cevada e dois peixes. São os únicos alimentos disponíveis. Jesus os toma, e começa a distribuição. Ora, todos se alimentam abundantemente, e os restos ainda enchem 12 cestos. E João acrescenta: "Vendo o sinal que ele fizera, aqueles homens exclamaram: 'Este é verdadeiramente o profeta que deve vir ao mundo!'

* Para um estudo mais completo das atividades milagrosas de Jesus, ver Xavier Léon-Dufour, *Les miracles de Jésus selon le Nouveau Testament* [Os milagres de Jesus segundo o Novo Testamento], Seuil, 1977.

Jesus, porém, percebendo que viriam buscá-lo para fazê-lo rei, refugiou-se de novo, sozinho, na montanha" (João, 6:1-15).

Segundo a cultura da época, Jesus devia provar que era o enviado de Deus por meio de sinais. Por isso a insistência nos prodígios que atraem multidões e lhe permitem divulgar seu ensinamento. Contudo, os Evangelhos mostram que Jesus jamais procurou utilizar seus poderes para si mesmo, e ele se recusará a servir-se deles para escapar a seus inimigos quando de sua prisão. Também adverte aqueles que se contentam com milagres para afirmar que descobriram a verdade: "Surgirão, de fato, falsos profetas que apresentarão grandes sinais e prodígios, de modo a enganar, se possível, até mesmo os eleitos" (Mateus, 24:24).

8

A ARTE DE MORRER

Sócrates e Jesus morreram como viveram: plenamente coerentes com seus princípios éticos e com a verdade que pregavam. Foram precursores e, como todos os precursores, incomodavam. Ameaçavam a ordem estabelecida: a ordem social, a ordem política, a ordem religiosa. Tanto que foram eliminados. Sócrates e Jesus foram condenados à morte e executados. Foi diferente com Buda, que morreu aos 80 anos em consequência de uma intoxicação alimentar, embora a hipótese de um envenenamento criminoso nunca tenha sido totalmente afastada pela tradição primitiva.

Um fim aceito

Três meses antes de seu *paranirvana* — termo usado pela tradição budista para descrever o fim da vida humana de um buda —, Sidarta envelheceu muito. O peso de seus 80 anos cai sobre seus ombros, ele está doente, e sua doença o extenua, como narra o *Mahaparinirvana sutra*, a mais longa narrativa do cânone páli, consagrada aos últimos dias do Despertado. Ele confidencia ao fiel Ananda, quando este lhe suplica que não desapareça antes de expor as últimas instruções à comunidade: "Agora sou frágil, Ananda; estou numa idade avançada. É meu octogésimo ano, e minha vida passou. Do mesmo modo que uma velha carroça é mantida em estado de funcionamento com muita dificuldade, também o corpo do *Tahagata* só pode funcionar amparado" (2:32). Excetuando--se Ananda, os mais antigos companheiros do Buda, e até mesmo seu filho Rahula, estão mortos. Os textos antigos dão a entender que o Buda deixou de atrair as multidões que antes se deslocavam por ele. É certo que suas comunidades monásticas estão bem-estabelecidas, mas a religião que ele instituiu perdeu o entusiasmo inicial. Vários textos do cânone afirmam que o Buda anunciou um dia aos seus discípulos que dali a três meses ele alcançaria seu *paranirvana*.

O Buda reúne então suas últimas forças para ir até as comunidades e se despedir dos monges. Dirige-se para o nordeste, chega à cidade de Pava (provavelmente a atual Fazilnagar), onde o joalheiro Cunda mandou preparar um prato especial cuja receita se perdeu, o *sukaramaddava*, palavra que se poderia traduzir literalmente por "alimento mole de porco". Trata-se de fato de um prato à base de carne de porco? Ou de uma variedade de cogumelos dados como alimento aos porcos, como mais tarde afirmaram os defensores de um rígido vegetarianismo budista? Em todo caso, o Buda come, mas proíbe a todos de tocá-lo. Não termina o prato, e pede que os restos sejam enterrados, dizendo que nem mesmo os *deva* poderiam digeri-lo (*Mahaparinirvana*, 4, 19). Durante a noite, o Despertado é tomado por violentas dores e vomita sangue. Mesmo assim volta à estrada e chega às proximidades de Kushinagara, ao sul de Lumbini. A partir daí, o Buda fica impossibilitado de seguir caminho.

Ele ordena uma parada sob uma árvore. Deita-se, a cabeça voltada para o norte.

Foi ele deliberadamente envenenado no momento em que a *sangha* experimenta discórdias e choques entre os defensores de uma linha dura, ascética, e aqueles que permanecem fiéis ao "caminho do meio" pregado pelo mestre? Os textos páli mais antigos lembram a tese do envenenamento, para logo rejeitá-la. Eles destacam este estranho fato, difícil de interpretar: o Buda teria pedido a um grupo de monges que voltassem para agradecer ao joalheiro por aquela última refeição que fez o Buda alcançar o *paranirvana* e que lhe valerá, em sinal de reconhecimento, "um renascimento celeste e soberano" graças a esse mérito (*Mahaparinirvana*, 4, 56).

Deitado de lado sob uma árvore, na postura do leão, o Buda dirige seus últimos conselhos aos amigos, quando se surpreende com a ausência de Ananda. Este se refugiara atrás de um pequeno bosque para chorar. Como tem o costume de fazer, o Buda o repreende. Depois, pela primeira vez, agradece ao velho companheiro: "Há muito tempo, Ananda, serves ao Tahagata com amor e bondade, em atos, palavras e pensamentos, de todo o coração e sem medida" (*Mahaparinirvana*, 5, 35). A lenda conta que no exato momento em que o Despertado dava o último suspiro, pouco antes da aurora, a terra se pôs a rugir e a tremer...

Por volta de 399 a.C. — data estabelecida pelos biógrafos de Sócrates, mas que só pode ser aproximada —, três cidadãos atenienses arrastam Sócrates diante do tribunal. Trata-se de Anitos, rico comerciante conhecido por seu talento de orador, e ainda feroz defensor da democracia, e de seus dois amigos, o poeta Meleto e o retórico Licão. Os três afirmam que Sócrates representa um sério perigo para a ordem da cidade, e têm contra ele duas acusações assim resumidas por Platão em sua *Apologia:* "Sócrates é culpado de corromper os jovens e de não reconhecer os deuses da cidade, mas, em vez deles, divindades novas." A segunda acusação diz respeito ao *daimon* ao qual ele se refere com frequência (24b-c). Conforme a lei o autoriza, Sócrates, em vez de ler o brilhante discurso que lhe preparou o amigo Lísias, prefere ele mesmo apresentar sua defesa diante dos 501 jurados que foram reunidos. Esse processo é essencialmente relatado por Platão em sua *Apologia,* mas é igualmente lembrado em várias ocorrências, por exemplo, no *Eutifron,* bem como nos *Memoráveis* de Xenofonte. Diante do Helieu, o tribunal do Povo, a acusação é a primeira a falar. "Eu mesmo não me reconheci" (17a), retruca Sócrates, denunciando as mentiras proferidas nos brilhantes discursos que foram pronunciados, diante dos quais anuncia que usará sua linguagem habitual, a que ele manteve durante decênios nas praças públicas. Ele pede, portanto, aos juízes, que não levem em conta a forma de seu próprio discurso, "mas considerem apenas com atenção se o que eu digo é justo ou não. É nisso que consiste a virtude do juiz" (18a). Sócrates sabe que não tem boa reputação na cidade, e que além de seus acusadores declarados, terá de lutar, durante o processo, contra muitos "fantasmas", todos os que, sem se identificar, espalharam calúnias contra ele. No entanto, ele afirma de saída, e de modo claro, que de acordo com seus princípios, ele respeitará inteiramente as regras do processo: "Que tudo aconteça segundo a vontade dos deuses, é preciso obedecer à lei, e se defender" (19a). Porém, ele toma o cuidado de acrescentar, ele tem um protetor supremo: Apolo, o deus da cidade, que se exprimiu por intermédio do oráculo de Delfos para designá-lo como o mais sábio: "Apolo não mente. Um deus não poderia mentir" (20e), esclarece ele, não sem malícia, aos juízes que o acusam de impiedade.

Sócrates demonstra em seguida todo o seu vigor, todos os mecanismos de sua ironia, para derrubar as duas acusações. Ele é acusado de corromper a juventude ateniense? Lembra que jamais recebeu salário, como fazem os sofistas, daqueles jovens que, contudo, são bem-nascidos. E é ele quem, a partir dali, faz perguntas aos acusadores, notadamente a Meleto: "Fala", diz ele, "responde-me", "diz-me, quem pode fazer estes jovens melhores?", "quem pode inculcar-lhes a virtude?" Meleto se embaraça nas respostas, e Sócrates não deixa de confrontá-lo com suas contradições: "Provastes suficientemente que a educação da juventude jamais te preocupou muito, e teus discursos deixaram claro que jamais tratastes disto de que me acusas" (25c). Ele o ataca, acusa-o de mentiroso, toma os jurados como testemunhas, caçoa de sua ignorância e desmonta uma a uma as acusações. E, virando-se para os jurados, ataca-os com uma frase que resume toda a sua moral: "Todo homem que escolheu uma função, porque a considerava honrosa, ou que tenha sido nela colocado por seu chefe, deve, em minha opinião, permanecer firme nela, e não considerar nem a morte, nem o perigo, nem nada além da honra" (28d).

Os jurados ficaram certamente impressionados, tanto mais que, no impulso, Sócrates lhes anuncia que, qualquer que seja o veredito, "enquanto eu respirar e tiver um pouco de força, não deixarei de me dedicar à filosofia, de vos advertir e aconselhar, e de manter, com todos os que eu encontrar, a minha linguagem habitual" (29d). Como dos bancos se erguessem protestos, Sócrates pediu que o deixassem continuar seu discurso: "Tenho muitas outras coisas a vos dizer que, talvez, provoquem vossos clamores, mas não vos deixeis levar pelos impulsos de cólera" (30c). Ele os interroga sobre a única coisa que dá valor à vida: o aperfeiçoamento da alma. Ele lhes conta sua própria vida, seus combates, seus enfrentamentos, seu ofício de filósofo. "Nunca fui mestre de ninguém", afirma ele, "mas se alguém, jovem ou velho, deseja conversar comigo e ver como eu me desobrigo de minha missão, não recuso a ninguém satisfação" (33a). Mas ele se recusa a emocioná-los, a suplicar-lhes, a mexer com a emoção, a levar os filhos diante do tribunal: "A justiça quer que não devamos a salvação às preces, que não supliquemos ao juiz, mas que o esclareçamos e o convençamos. Pois o juiz não preside para sacrificar a justiça ao desejo de agradar, mas para segui-la religiosamente. Ele jurou não agraciar a quem bem lhe parecer, mas julgar segundo as leis" (35b-c). Sócrates sabe que corre o risco da pena de morte, mas, como última provocação, ele sugere ao tribunal "condená-lo com justiça", a ele, o benfeitor, instalando-o no Pritaneu, alto lugar civil e religioso da cidade, onde são acolhidos hóspedes distintos (36e-37a), ou, em vez disso, a uma multa mínima que ele próprio estipula. Os juízes não suportam sua insolência. Ele os convenceu de ser inocente das duas acusações que pesam sobre ele? Talvez; contudo, eles o condenam à morte, castigo dos ímpios. Segundo Diógenes Laércio, à esposa "que se lamenta por vê-lo morrer injustamente", o filósofo dá esta soberba réplica: "Querias então que fosse justamente?"

De modo geral, as sentenças de morte eram executadas muito rapidamente. Sócrates passará quase um mês na prisão até que lhe seja administrada a cicuta (veneno letal comumente utilizado para aplicar a pena capital). Não se deve ver nisso nenhum sinal de consideração pela pessoa, nem índice de remorso da parte dos que o condenaram. O motivo desse detalhe é muito mais prosaico. Com efeito, no dia seguinte ao que a sentença foi decretada, um barco deixava o porto de Atenas, levando para a ilha natal de Apolo os sacerdotes encarregados de proceder ao ritual anual de agradecimento ao deus que tinha permitido a vitória de Jasão sobre o Minotauro. Ora, segundo a lei, nenhuma execução poderia acontecer antes da volta do navio sagrado e seus passageiros.

Durante um mês, entre a condenação e a execução, Sócrates não fica isolado. Ao contrário, todos os dias, seus amigos, seus conhecidos, seus discípulos, vêm vê-lo, interrogá-lo, ouvir seus ensinamentos. Ele não prevenira os juízes de que enquanto vivesse, falaria? Dessas quatro semanas restam-nos duas obras redigidas por Platão: *Fédon*, diálogo dedicado à memória de sua alma, que conta o último dia de Sócrates, e *Críton*, outro diálogo no qual Críton, o mais velho amigo de Sócrates, tenta em vão convencê-lo a fugir. Dessas duas obras, e também do que narra Xenofonte, destaca-se a imagem de um Sócrates corajoso que, até o último momento, não teme a morte. De fato, é ele quem tem de consolar os amigos chorosos e tranquilizá-los. Sua esposa Xantipa recomeça a se lamentar? Ele pede que ela seja retirada da sala onde lhe resta pouco tempo de vida. Críton lhe suplica para adiar em algumas horas a ingestão da cicuta, como fazem muitos condenados à morte? "A única coisa que eu ganharia tomando o veneno mais tarde é me tornar ridículo para mim mesmo, agarrando-me dessa forma à vida e procurando economizar uma coisa que já não tenho mais", ele lhe responde (*Fédon*, 65). Todavia, quando ele aproxima a taça dos lábios, seus amigos não retêm as lágrimas. "Não era a sua infelicidade, mas a minha, que eu deplorava, pensando que eu ficaria privado de semelhante amigo", exclama Fédon (*Fédon*, 66). Sócrates deplora essas lágrimas e essas lamentações que ele julga deslocadas, dá alguns passos como lhe recomendou o escravo que lhe trouxe a taça, e depois, sente as pernas pesarem, deita-se de costas, cobre a cabeça. Morre de olhos abertos.

Falta uma semana para a Páscoa judaica. Dezenas de milhares de judeus, provenientes da Palestina e de toda a diáspora, afluem, como todos os anos, a Jerusalém, para celebrar a Páscoa. Jesus também foi à festa. As autoridades judaicas e romanas desconfiam desse período do ano, quando aos peregrinos misturam-se os profetas, os arautos nacionalistas e outros agitadores que se aproveitam dessa tribuna para abalar a ordem estabelecida. Um grave acidente explode quando Jesus se opõe aos mercadores do Templo, aos cambistas que trocam dinheiro "pagão" por moedas judaicas, que permitem comprar os animais dos sacrifícios, e ele chega a anunciar com violência o fim daquele Templo "tornado pela mão do homem" (Marcos, 14:58), "um covil de ladrões" (Marcos, 11:17). Os sacerdotes se preocupam: o Templo exerce, de fato, um papel socioeconômico importante; ele é a garantia do poder e da autoridade deles. Quem é esse Jesus que ousa chamar este lugar de "minha casa"? (Marcos, 11:17). Ele é tanto mais inquietante quanto seus discípulos crescem em número. Pode-se, portanto, considerar verossímil que, em consequência desse escândalo, os sacerdotes tenham decidido pôr termo às suas atividades de pregador. Em todo caso, Jesus sente a hostilidade deles crescer. Mas ele não está pronto para fazer-lhes a menor concessão; consequentemente, sabe que sua prisão é inevitável. As narrativas dos quatro evangelistas concordam em situar numa quinta-feira a última refeição para a qual Jesus convida os Doze, seus discípulos mais próximos. A hora é solene. Porque é o mestre, Jesus assume o papel atribuído ao pai de família na tradição judaica: ele abençoa o pão e o parte, abençoa a taça de vinho e a oferece aos convivas, pronunciando estranhas palavras. Os três Evangelhos sinóticos assim contam esse episódio, que marcará profundamente a história do cristianismo e o culto cristão: "Enquanto comiam, Jesus tomou um pão e, abençoando-o, partiu-o e deu a seus discípulos, dizendo: 'Tomai e comei, isto é o meu corpo.' Em seguida, tomou um cálice, deu graças, e o deu aos discípulos, dizendo: 'Bebei deles todos, pois isto é o meu sangue, o sangue da Aliança, que será derramado por muitos para a remissão dos pecados.'" (Mateus, 26:26-27; Marcos, 14:22-24; Lucas, 22:19-20). Paulo, em sua primeira epístola aos Coríntios, esclarecerá que, depois desses dois gestos, Jesus anunciou: "Fazei isso, em memória de mim. [...] Todas as vezes que comerdes deste pão e beberdes deste vinho, anunciareis a morte do Senhor, até que ele venha" (11:24-26). A eucaristia — literalmente, ação de graças — é o elemento central do culto cristão há 2 mil anos.

Os convivas ainda estão à mesa quando Jesus lhes anuncia que um deles vai entregá-lo. Todos eles o interrogam: "Serei eu?" Ele reserva a Judas sua resposta: "Tu o disseste." Quando a refeição termina, eles se vão para o monte das Oliveiras. Os apóstolos repetem declarações de apego ao "rabi", quando este se dirige a Pedro: "Em verdade eu te digo: esta noite, antes que o galo cante, me negarás três vezes" (Mateus, 26:34). Depois, afasta-se para rezar. Mas ele não está sereno. Sente "tristeza e angústia", "cai com o rosto em terra", suplica a Deus: "Se é possível, afasta de mim este cálice!" (Mateus, 26:37-39). É então que os soldados mandados pelos sacerdotes do Templo se aproximam. Judas se aproxima também. Ele beija Jesus: é o sinal de reconhecimento que ele combinou com os soldados. Jesus é preso e levado a Caifás, o grande sacerdote. Pedro, que o seguiu de longe, senta-se com os servidores. Ele será testemunha do processo de Jesus.

A palavra processo é demais para descrever aquele julgamento rapidamente concluído. Diante do Sinédrio, o Grande Conselho judeu dotado de grandes poderes em questões religiosas, civis e judiciárias, Jesus é interrogado sobre o messiado que reivindica: "Eu te conjuro pelo Deus vivo que nos declare se tu és o Cristo, o Filho de Deus", pergunta-lhe Caifás. "Tu o disseste", responde-lhe Jesus. Com raiva e indignação, o grande sacerdote rasga as roupas. "Ele blasfemou!", exclama. "É réu de morte", respondem os que assistem à cena (Mateus, 26:63-67). O protetorado romano é, porém, o único qualificado para editar as condenações à pena capital e garantir a manutenção da ordem pública. Enquanto amanhece, Jesus é amarrado pelos sacerdotes e pelos anciãos, e arrastado diante do governador Pôncio Pilatos. Este não se interessa por seu messiado, mas pela situação política que ele reivindica. "Tu és o Rei dos Judeus?", pergunta-lhe de saída. Jesus lhe dá a resposta que se tornou habitual: "Tu o disseste." Em seguida, fica em silêncio. Pilatos tenta mesmo assim salvar aquele homem da vingança dos sacerdotes. Porque em todas as festas solta um prisioneiro escolhido pela multidão, ele pergunta: "Quem quereis que vos solte, Barrabás, ou Jesus, que chamam de Cristo?" "Barrabás", grita a multidão manipulada pelos grandes sacerdotes. Jesus é, pois, condenado à morte, à pior das mortes, aquela reservada aos agitadores políticos e aos escravos fugitivos: a crucificação. A execução do julgamento é imediata, antes que a festa se inicie. É uma sexta-feira, véspera do *shabbat* e da Páscoa, 14 do mês de Nissan. Segundo cálculos efetuados a partir de dados astronômicos, pode-se supor que esses acontecimentos tiveram lugar no ano 30 ou

33. Foi a primeira dessas datas que a maioria dos historiadores escolheu.*

Para os evangelistas, Jesus não foi condenado pelos romanos por razões políticas, mas pelos grandes sacerdotes, por crime de blasfêmia. Um elemento corrobora a afirmação: enquanto a repressão romana contra os pregadores mais agitados incluía seus fiéis, os discípulos de Jesus não importam para o julgamento de Pilatos; nem mesmo são procurados pelas autoridades e podem continuar a se reunir em memória do mestre, embora tomando algumas precauções. Em resumo, Pilatos, que "lavou as mãos" do sangue do condenado, teria pronunciado o veredito unicamente para atender ao pedido do Sinédrio.

Gostaria de repetir aqui um comentário do antissemitismo cristão que se alimentou durante séculos deste argumento falacioso: os judeus são coletivamente responsáveis pela morte de Jesus, o que faz deles o "povo deicida". Ora, não é o que dizem, ou sugerem, os Evangelhos em nenhum momento. Apenas os principais notáveis da época quiseram a sua morte (e mesmo assim, nem todos, pois alguns, como Nicodemos, o defenderam). A comunidade judaica de Jerusalém aparece, de fato, dividida em três grupos: os discípulos de Jesus e os que o apoiam; uma pequena elite religiosa que lhe é muito hostil e manipula a multidão; a maioria do povo, que fica fora do caso. Imputar a morte de Jesus ao povo judeu em conjunto é uma confusão odiosa que, infelizmente, provocou violentas perseguições ao longo da história da cristandade, e exerceu um papel significativo no nascimento do antissemitismo moderno. Foi necessário esperar o Concílio Vaticano II (1962)

* Sob o governo de Pôncio Pilatos, a Páscoa judaica caiu duas vezes no dia 15 de Nissan: em 30 e em 33 de nosso calendário.

para que a Igreja retirasse do missal a prece da Sexta-feira Santa, que incita os fiéis católicos a rezar pela conversão do "povo pérfido", responsável pela morte de Jesus.

Quando Jesus é condenado por Pilatos, são os soldados romanos que executam a sentença. Jesus, o "rei dos judeus", é ridicularizado com uma coroa de espinhos e levado ao Gólgota, colina que domina a cidade de Jerusalém, debaixo de zombarias e escarros da multidão. Ele é crucificado e, no alto da cruz, está escrito o motivo de sua condenação: "Este é Jesus, o rei dos Judeus". Dois bandidos são crucificados ao mesmo tempo que ele, um à sua direita, o outro à sua esquerda. Ele agoniza durante longas horas, dando o último suspiro depois de sofrimentos atrozes. Foi enterrado no mesmo dia, antes do pôr do sol e do início do *shabbat*. Jesus tinha 35 ou 36 anos.

Fiéis aos seus ensinamentos até na morte

O Buda enfrentou a morte com grande serenidade, inteiramente de acordo com a sua concepção de vida. Quanto a Jesus e Sócrates, eles teriam podido evitar morrer nas dramáticas circunstâncias que acabam de ser lembradas. Eles teriam podido fugir, mas se recusaram a fazê-lo por fidelidade à verdade e ao próprio ensinamento.

Enquanto Sócrates está numa prisão, à espera da execução, seus amigos lhe preparam um plano de fuga. O amigo Críton organizou tudo e enumerou os amigos prontos para dispor de suas fortunas para lhe garantir um exílio dourado: Símias de Tebas, Cebes "e muitos outros". Ele garante que por toda a parte ele será bem recebido, até mesmo em Tessália (*Críton*, 45). Esses argumentos são inúteis, e Críton então aborda o aspecto moral: "Vais cometer um erro entregando-te mesmo quando podes salvar-te", diz ele. Ele lhe suplica que se salve em nome dos filhos que deixará órfãos: "Envergonho-me por ti e por teus amigos, temo que nos imputem à nossa covardia o que te acontece." Ele insiste: "Não é mais o momento de refletir. Ouça-me e faz o que te digo" (*Críton*, 45). Ora, para Sócrates a questão não é mais saber se ele *pode* fugir, mas se é *justo* fugir. Para sabê-lo, apela à única voz que ele sempre escutou: a da razão "que, analisada, me parece a melhor" (46), e estabelece com Críton um magnífico diálogo dedicado ao dever. "Não posso abandonar os princípios que professei durante toda a minha vida porque me acontece uma infelicidade", ele lhe explica (45). O que importa o que dirão! Sócrates dá o exemplo de um doente: ele escuta o que lhe diz o primeiro que aparece, ou o que seu médico lhe aconselha, "o único de quem se deve temer a crítica e apreciar o elogio sem se preocupar com a multidão"? (47). Ora, o mesmo acontece com a saúde da alma. "O importante não é viver, mas viver segundo o bem" (48), ou seja, explica ele ainda, viver segundo os princípios de justiça. Ora, a fuga, o exílio, ultrajam as leis de Atenas, a justiça da cidade que Sócrates tanto ama. Ele se mostra intransigente: "É preciso fazer o que manda a República, ou empregar junto a ela os meios de persuasão que a lei permite" (51). Fugir, diz ele, daria crédito às acusações contra ele, "pois todo corruptor das leis passará facilmente por corruptor dos jovens e dos fracos" (53). Sócrates sabe que é vítima de uma injustiça, de uma cabala dirigida por Anitos e Meleto, dos quais ele disse ao término do processo: "Eles podem me matar, eles não podem me ferir" (*Apologia,* 30c). Mas isso não muda em nada sua decisão de se submeter às leis.

Fédon comprova que Sócrates, no seu último dia de vida, "parecia feliz" (*Fédon*, 58e), afirmando até que "às vezes, a morte é preferível à vida" (62a), e isso por razões que provêm da fé e da experiência religiosa do filósofo: "Se eu não acreditasse encontrar no outro mundo outros deuses sábios e bons, bem como homens melhores que os daqui, não teria razão em não me zangar por morrer. Mas é preciso que saibais que tenho a esperança de logo me juntar a homens virtuosos, sem, contudo, poder afirmá-lo inteiramente. Mas para lá encontrar deuses amigos dos homens, isso eu posso afirmar" (63b-c). Mais uma vez Sócrates repete o que jamais deixara de afirmar: "Todos os que se dedicam à filosofia, e a ela se dedicam retamente, não se dedicam a outra coisa a não ser morrer" (64a). Já não dissera ele aos amigos, no dia de seu julgamento: "Chegou o momento de nos separarmos, vós para viver, e eu para morrer. Vós, ou eu, quem fica com a melhor parte? Só o deus sabe"? (*Apologia*, 42a).

No momento em que vai a Jerusalém com seus discípulos, e que a hostilidade das autoridades religiosas em relação a ele chega ao paroxismo, Jesus lhes faz em três ocasiões esse estranho anúncio: "Eis que subimos a Jerusalém, e o Filho do Homem será entregue ao chefe dos sacerdotes e aos escribas. Eles o condenarão à morte e o entregarão aos gentios para ser escarnecido, açoitado, crucificado. Mas no terceiro dia, ele ressuscitará" (Mateus, 20:17-19). Os evangelistas insistem num fato capital para eles: Jesus sabia que iria morrer, e aceitava plenamente a morte. O mesmo não acontece com os discípulos, começando por Pedro, que refuta essa fatalidade: "Deus não o permita, Senhor! Isso jamais te acontecerá!" E Jesus responde àquele que a Igreja Católica vai considerar seu primeiro papa: "Afasta-te de mim, Satanás! Tu me serves de tropeço, porque não pensas as coisas de Deus, mas as dos homens" (Mateus,

16:22-23). É o mesmo Pedro que, exatamente antes de negar três vezes Jesus, tenta se opor à prisão do mestre, desembainhando a espada, chegando a ferir um dos servidores do grande sacerdote. Jesus lhe ordena: "Embainha a tua espada. Deixarei eu de beber o cálice que o Pai me deu?" (João, 18:11).

Como já escrevi em outra obra,* o cálice de Jesus, quer dizer, sua morte na cruz, não pode ser interpretado como a necessidade, para o Filho, de sofrer para aplacar a cólera do Pai, como foi interpretado no âmbito de uma teologia do dolorismo e do sacrifício. Tal imagem contradiz todo o ensinamento do Cristo e sua revelação de um Deus de amor. Jesus aceita a morte porque não há outra saída possível para permanecer fiel à sua mensagem que se tornou intolerável para as autoridades religiosas de sua época. Seria necessário que ele se calasse ou desaparecesse, que ele renegasse sua mensagem ou a assumisse até o fim e aceitasse pagar o preço. Uma leitura atenta dos Evangelhos o demonstra bem: Jesus não morreu porque Deus precisasse de sofrimento, mas simplesmente porque ele amou plenamente e foi fiel ao que ele chama de "a vontade de meu Pai". Jesus morreu por ter dado testemunho até o fim da verdade que veio trazer. É sem dúvida o motivo pelo qual sua palavra, como a de Sócrates, ainda ressoa tão justa e parece tão viva, 2 mil anos depois de sua morte.

As últimas palavras

"Vou pronunciar minha última palavra", diz o Buda aos monges reunidos à sua volta, exatamente antes de perder a consciência e alcançar o *paranirvana*. E logo continua: "Ficai

---

* *Le Christ philosophe:* [O Cristo filosófico]. Plon, 2007, Points, 2009.

atentos, eu vos exorto: todos os fenômenos condicionados têm a natureza da destruição; eles estão sujeitos a desaparecer. Esforçai-vos com sinceridade" (*Mahaparinirvana*, 6, 8). Em sua brevidade, esse último ensinamento de algum modo resume 45 anos de sermões, 45 anos iniciados pelo Buda no parque das Gazelas, diante dos cinco primeiros discípulos. Ora, eis que nesse último sopro ele exala a quintessência da via que traçou: tudo está sujeito à destruição, não se apeguem a nada e, assim, o sofrimento será eliminado. Alguns minutos antes, dirigindo-se a Ananda, o Buda revelou sua última orientação, destinada ao conjunto da comunidade: "Pode ser que alguns de vós digam: 'A palavra do mestre não existe mais; não temos mais mestre.' Mas não se deve ver as coisas desse modo: eu proclamei o dharma, e o dharma será vosso mestre quando eu tiver partido" (*Mahaparinirvana*, 6, 1).

A última palavra de Sócrates tornou-se célebre por sua estranheza e deu lugar a uma quantidade de interpretações. Na verdade, enquanto aproxima dos lábios a taça de cicuta, o filósofo começa a repreender os discípulos que se lamentam em torno dele: "Se mandei as mulheres embora, foi para evitar esses lamentos inconvenientes, pois sempre me disseram que é com belas palavras que se deve morrer", diz ele (*Fédon,* 117d-e). Em seguida, ele se deita, cobre o rosto, seus membros começam a esfriar, quando, bruscamente, aproxima a mão do rosto, levanta o véu, dirige-se a Críton: "Críton, devemos um galo a Esculápio. Não te esqueças de pagar essa dívida." Críton o tranquiliza: "Será feito." No entanto, este fica bastante desconcertado com o pedido e logo continua: "Mas vê se não tens nada mais a nos dizer" (*Fédon,* 118a). Já era tarde: Sócrates estava morto.

Essa frase teria sido a última pirueta do mestre da ironia? Esculápio foi, de fato, o deus da Medicina; o costume exigia que se lhe oferecesse um sacrifício por ocasião de um pedido de cura, e outro em agradecimento pela cura obtida. Que ironia, pensar em tal sacrifício no momento em que se perde a vida! Evidentemente, tendo-se como parâmetro todos os diálogos socráticos percorridos ao longo deste livro, é plausível a hipótese de uma última ponta de ironia à qual o mestre não teria resistido. Nietzsche, sobre quem a influência de Sócrates foi determinante, embora sempre a tenha negado, foi interrogado sobre essa última frase, que, segundo ele, provém de um filósofo cansado de viver, de um homem para quem a vida é uma doença, e a morte, uma libertação, logo, uma cura. De fato, se considerarmos as afirmações de Sócrates a respeito da morte e da imortalidade da alma, a hipótese de que esse sacrifício comprova a gratidão de quem vai ser *curado da vida* corporal parece justificada. Nesse caso, Sócrates pede, de fato, a Críton, para não se esquecer dessa ação de graças. Não afirmou ele na *Apologia* de Platão que "a morte é um bem", que ela é "uma simples troca de domicílio, a passagem da alma de um lugar para outro"? (*Apologia*, 40c). E também, dirigindo-se aos juízes que tinham acabado de promulgar sua condenação à morte, Sócrates acrescentou num tom particularmente sereno, até mesmo alegre: "É claro para mim que morrer logo agora, e ficar livre das preocupações da vida, é o que melhor me convém" (*Apologia,* 41d).

As sete últimas palavras do Cristo na cruz, além de numerosos comentários espirituais e teológicos que provocaram, inspiram, há séculos, os maiores músicos do mundo ocidental: Josef Haydn, Charles Gounod, Olivier Messiaen,

Heinrich Schütz e outros. As sete palavras pronunciadas por Jesus crucificado, que iniciou sua longa agonia, são profundamente emocionantes e constituem a quintessência de seu ensinamento.

A primeira dessas palavras vem imediatamente após ele ser colocado na cruz. Caçoam de Jesus, ele é ultrajado pela multidão, está esgotado, seu fim é inevitável. Ele se dirige a Deus, que chama de pai. Dessa vez, não suplica; o pedido que lhe dirige não diz respeito a si mesmo, mas aos outros, àqueles que o levaram à morte: "Pai, perdoa-lhes: eles não sabem o que fazem" (Lucas, 23:34). Jesus reafirma com força, quando ele mesmo é vítima de um ódio cego, que o perdão está acima de tudo. Ele também lembra, como Sócrates, que a ignorância é a verdadeira causa de todos os males.

Em seguida, Jesus se volta para os dois condenados que foram crucificados, um à sua direita, outro à sua esquerda. Um deles o insulta: "Não és tu o Cristo? Salva-te a ti mesmo, e a nós." O segundo lhe responde: "Quanto a nós, é justiça; estamos pagando por nossos atos; mas ele não fez nenhum mal." E, virando-se para Jesus, implora: "Lembra-te de mim quando vieres com teu Reino." Jesus lhe responde: "Em verdade, eu te digo: hoje estarás comigo no Paraíso" (Lucas, 23:39-43), fazendo dele o primeiro "santo" de toda a história do cristianismo e o único canonizado pelo próprio Jesus, se assim se pode dizer! Ora, não se trata de um fiel piedoso, ou de um homem que levou uma longa vida virtuosa, muito menos de um asceta que consagrou a vida a Deus, mas de um bandido crucificado por seus crimes. Um bandido que se arrepende, reconhece a justiça e a fé no Cristo e na misericórdia. Como Jesus explicou ao longo de seus ensinamentos, não é a fiel observância da lei religiosa, nem mesmo a virtude que salvam, mas a fé e o amor.

Sua terceira palavra dirige-se à mãe, que sempre esteve perto dele e que, também naquele momento, apesar de toda a sua dor, mantém-se firme ao pé da cruz com sua irmã, Maria Madalena, e João, o mais jovem e próximo apóstolo de Jesus: "Mulher, eis o teu filho", diz ele, indicando "o discípulo que ele amava". Em seguida, diz a este: "Eis a tua mãe." O evangelista João, que conta pessoalmente esse episódio, esclarece que "a partir dessa hora, o discípulo a recebeu em sua casa" (João, 19:26-27). Mesmo enquanto morre, Jesus se preocupa com o destino de sua mãe e de seu mais próximo amigo. Ele não se preocupa com seu sofrimento, mas com o dos que ele ama.

Só então Jesus pode pensar em si mesmo e na sorte que lhe é reservada. Ele se volta novamente para seu *abba* com um grito dilacerante: "*Eloi, Eloi, lemá sabachthani*" — "Meu Deus, meus Deus, porque me abandonaste" (Marcos, 15:34). Essas palavras exprimem a profunda aflição de Jesus, seu sentimento de abandono. Elas mostram que ele não finge sofrer no corpo, nem, sobretudo, na alma, como afirmarão algumas interpretações posteriores da paixão de Cristo, valendo-se de sua natureza divina. Os Evangelhos afirmam, ao contrário, que Jesus experimentou o pior sofrimento para a alma crente: o sentimento de ser abandonado por Deus. Essas palavras são também, nos mesmos termos, as primeiras do Salmo 22 da Bíblia hebraica, longa prece atribuída a Davi, e transcrita vários séculos antes de Jesus. Ele se reconhece nesse salmo que parece prefigurar seus sofrimentos, como a perfuração das mãos e dos pés, a partilha de sua túnica, acontecimentos contados pelos evangelistas. Aqui vai um trecho: "Eu, porém, sou um verme, não um homem, o opróbrio dos homens e o desprezado da plebe. Todos os que me veem zombam de mim; eles abrem a boca, meneiam a cabeça: recomenda-te ao Eterno. O Eterno o salvará; ele o libertará, já que o ama! Sim, tu me tiraste das entranhas de minha mãe, me puseste em segurança sobre seus seios; desde o ventre materno estive sob a tua proteção. Desde o ventre de minha mãe tu és meu Deus. Não te afastes de mim quando a desgraça se aproxima, quando ninguém vem em meu auxílio! Touros numerosos me cercam, touros de Basã me rodeiam. Eles abrem contra mim as suas fauces, como o leão que ruge e dilacera. Derramo-me como água, e todos os meus ossos se desconjuntam; meu coração tornou-se como cera e se derrete em minhas entranhas. Minha força se resseca como argila; a minha língua se pega no palato; tu me reduziste ao pó da morte. Porque os cães me rodeiam, um bando de malfeitores ronda à minha volta. Transpassaram minhas mãos e meus pés. Eu poderia contar todos os meus ossos. Eles me olham e observam; repartem entre si as minhas vestes e lançam sortes sobre a minha túnica. E tu, Eterno, não te afastes! Tu que és minha força, vem depressa em meu socorro!" (Salmos, 22:7-20).*

A quinta palavra de Jesus na cruz é citada por João, e também remete, menos explicitamente, a esse mesmo salmo: "A minha língua se pega no palato." Na verdade, Jesus disse: "Tenho sede" (João, 19:28). Teria ele apenas sede de água? Do mesmo modo que disse à samaritana: "Dá-me de beber" (João, 4:10), Jesus pode também falar de uma sede profunda: a da alma em busca do amor de Deus.

Depois de ter bebido de uma esponja impregnada de vinagre que os guardas lhe estenderam, João lhe atribuiu esta última palavra: "Está consumado" (João, 19:30). "E, inclinando a cabeça, entregou o espírito", conclui o evangelista. Lucas, por sua vez, lhe atribui mais uma última palavra que

* A tradução foi feita a partir da tradução francesa de Louis Second.

exprime a entrega total a Deus: "Pai, em tuas mãos entrego o meu espírito" (Lucas, 23:46).

Jesus, o Ressuscitado?

Como para o Buda e para Sócrates, tudo poderia ter acabado aí. Os discípulos de Jesus teriam chorado amargamente o mestre e talvez continuado a transmitir sua mensagem. Mas não é o que dizem as Escrituras cristãs mais antigas (Cartas de Paulo, Atos dos Apóstolos, Evangelhos). Todas falam de um acontecimento inesperado, no qual nenhum discípulo acreditava, e que os comove no momento em que estão aniquilados pelo fim trágico daquele em quem eles tinham depositado a esperança.

Morto na cruz, em Jerusalém, na véspera da Páscoa judaica, Jesus é logo sepultado; as mulheres de seu círculo — "Maria Madalena, Joana, Maria, mãe de Tiago, e as outras mulheres que os acompanhavam" — deixam para dali a dois dias a preparação tradicional do corpo. Ora, quando elas voltam, no domingo, ao alvorecer, o corpo tinha desaparecido. Os apóstolos, a quem elas recorrem, "não lhes deram crédito". O próprio Pedro vai até o túmulo e volta "surpreso" (Lucas, 24:10-12). Os sacerdotes do Templo afirmam que o corpo foi roubado, apesar dos guardas postos diante do túmulo (Mateus, 28:12-13). Ora, ao longo do dia, Jesus aparece aos discípulos. Primeiramente a Maria Madalena, depois aos apóstolos. Espalha-se o boato como um rastilho de pólvora: Jesus ressuscitou dentre os mortos no terceiro dia, conforme anunciara.

Os textos falam tanto de um ser de carne e osso que anda, come, fala, mostra as chagas aos apóstolos incrédulos, bem como de um ser sobrenatural que atravessa portas fechadas, surge milagrosamente no meio de uma assembleia, e que é difícil de ser reconhecido imediatamente, já que Maria Madalena de início o tomou pelo jardineiro, e os discípulos de Emaús só o reconheceram quando ele partiu o pão. Assim é que os discípulos afirmam tê-lo visto ressuscitado sob aparências diversas durante quarenta dias. Para o autor dos Atos dos Apóstolos, as últimas palavras de Jesus ressuscitado antes de subir aos céus e desaparecer são as seguintes: "Recebereis uma força, a do Espírito Santo que descerá sobre vós; e sereis minhas testemunhas em Jerusalém, em toda a Judeia e Samaria, e até os confins da terra" (Atos, 1:8). Mateus afirma essa missão universal conferida aos discípulos: "Toda a autoridade sobre o céu e a terra me foi entregue. Ide, pois, e fazei que todas as nações se tornem discípulos, batizando-as em nome do Pai, do Filho e do Espírito Santo, e ensinando-as a observar tudo o que vos ordenei. E eis que estou aqui convosco todos os dias, até o fim do mundo" (Mateus, 28:18-20).

A ressurreição de Jesus é o núcleo da fé cristã. Ela é até mesmo um de seus fundamentos essenciais. O historiador não pode se pronunciar sobre tal enigma. Ele pode apenas constatar três coisas: todos os textos cristãos antigos falam dela, e o tema não é polêmico para os primeiros cristãos. A convicção partilhada por todos, seja ela verdadeira ou não, explica o extraordinário entusiasmo com o qual os discípulos de Jesus vão transmitir sua memória e sua mensagem, quando eles poderiam se dispersar depois do trágico episódio da cruz, como tantos outros pequenos grupos de judeus da época. Finalmente, Jesus é o único mestre espiritual, o único sábio, o único fundador de religião cuja ressurreição é afirmada pelos discípulos. Nem os discípulos de Zoroastro, nem os de Moisés, nem os do Buda ou de Confúcio, nem os de Pitágoras ou de Sócrates, de Mani ou de Maomé, afirmaram tal coisa. Existem, de fato, na Antiguidade, mitos de morte-ressurreição, como notadamente o deus egípcio Osíris, mas jamais se afirma que um mestre espiritual de carne e osso, tendo existido historicamente, tenha morrido e ressuscitado. O Antigo Testamento fala de Enoch e de Elias, que Deus "elevou ao céu", mas além do fato de esses dois personagens serem fictícios, não é dito que eles tenham morrido e ressuscitado. Três hipóteses para o historiador: os discípulos de Jesus mentiram; eles foram vítimas de um engodo ou de uma alucinação coletiva, ou, por fim, dizem a verdade e efetivamente viram Jesus ressuscitado dentre os mortos, o que é um total enigma para a razão humana.

9

O QUE ELES DIZEM DE SI MESMOS

Ao termo desse percurso em forma de biografias cruzadas, duas importantes perguntas permanecem: o que, segundo a tradição primitiva, o Buda, Sócrates e Jesus dizem de si mesmos? E o que diz sobre eles a tradição tardia? Essas perguntas valem especialmente para o Buda e para Jesus, pois dois sistemas de crenças foram progressivamente construídos com base em suas personalidades e, em consequência disso, o status sobre-humano que possuíam não parou de se afirmar. Mas a figura de Sócrates também evoluiu fortemente ao longo dos séculos, mesmo que ele tenha sempre sido considerado um simples mortal e jamais tenha sido objeto de culto religioso. Comecemos, pois, pela primeira pergunta: o que eles dizem de si mesmos?

Sócrates, o ignorante engajado

Vimos que Sócrates se divertia em se depreciar diante de seu auditório, em clamar em todas as ágoras não deter "nenhuma sabedoria, grande ou pequena", e ele sempre repetia: "Só sei que nada sei" (*Apologia,* 21d5). Ele realmente acreditava nesse discurso?

Observando-se com atenção, percebe-se que Sócrates não ignora absolutamente seu verdadeiro valor. Ele se diz desprovido de qualquer saber? Contudo, no *Górgias*, quando Polos, após longo discurso, admite que a tese de Sócrates sobre a justiça dificilmente poderia ser contestada, o filósofo lhe responde friamente: "Não é que seja difícil, Polos, é impossível. Pois o que é verdadeiro jamais é contestado" (473b). Por outro lado, aquele que gosta de repetir em público que seu papel é o de uma parteira, e que sua arte, a maiêutica, não é senão a arte de fazer parir, reconhece, no *Teeteto* de Platão, que o ofício da parteira é inferior ao seu (150a), já que ela faz parir corpos, quando ele mesmo faz parir espíritos. E isso "graças ao deus e a mim" (150d).

Esse é o mistério de Sócrates: esse filósofo que só se apoia na razão tem certeza de estar investido de uma missão divina: "O deus me ordenou viver filosofando, analisando a mim mesmo e aos outros" (*Apologia*, 28e). Está convencido de agir exclusivamente segundo a vontade desse deus que ele não nomeia, mas sobre o qual diz quando de seu julgamento: "Ajo assim, vo-lo repito, apenas para cumprir a ordem que o deus me deu pela voz dos oráculos, pela dos sonhos e por todos os meios que nenhuma outra potência celeste jamais empregou para comunicar sua vontade a um mortal" (*Apologia*, 33c). Aliás, até mesmo o resultado de seu ensinamento depende dessa exclusiva vontade divina: "Aqueles que se apegam a mim, embora alguns pareçam, no início, completamente ignorantes, fazem todos, durante nossa convivência, progressos maravilhosos, no seu próprio julgamento bem como no dos outros" (*Teeteto,* 150d). Será condenado à morte? Ele ironiza diante dos juízes, revela-lhes que talvez ele não seja o único enviado dos deuses: "Vós me fareis morrer sem escrúpulo; e depois, caireis para sempre num sono letárgico, a menos que a divindade, apiedando-se de vós, não vos envie um homem que se pareça comigo..." (*Apologia,* 31a).

Qual é sua condição? Sócrates se reconhece filósofo: "Enquanto eu respirar e tiver um pouco de força, não deixarei de me dedicar à filosofia" (*Apologia*, 29d). Sente mais escrúpulos em se declarar mestre: "Jamais fui o mestre de quem quer que seja, mas se alguém, jovem ou velho, quis conversar comigo e ver como eu me desincumbo de minha missão, a ninguém neguei essa satisfação" (*Apologia*, 33a). Certamente, ele se considera o "intérprete do oráculo", cuja missão é fazer ver aos atenienses que "eles não são sábios" (*Apologia*, 23b). Um intérprete simplesmente humano? Durante seu julgamento, ele declara: "Há algo de mais humano do que eu ter descuidado durante anos dos meus próprios negócios para atender aos vossos, ensinando a cada um em particular, como um pai, ou um irmão mais velho poderia fazer, exortando-vos sem cessar a vos dedicar à virtude?" (*Apologia*, 31a-b).

Sócrates se apresenta, pois, como um simples mortal encarregado de uma missão pela divindade, e essa missão tem algo de sobre-humano. E, de qualquer modo, ele se percebe primeiramente como um cidadão de Atenas, sem dúvida até mesmo como o único verdadeiro cidadão de uma cidade da qual ele não consegue se afastar, mesmo que provisoriamente, o único a se dedicar plenamente à cidade. Quando, no texto de Xenofonte, Antífon lhe pergunta: "Como podes pretender ser o único ateniense a fazer política, quando não és visto em assembleia alguma e não participas de nada?", ele responde magnificamente: "Formando homens capazes de conduzi-los" (*Memoráveis*, 1, 6, 15).

O ser humano despertado

Os textos do budismo antigo mostram que Sidarta aparentemente não alimentou dúvida alguma sobre sua condição: ele é um buda, sucessor dos budas que o antecederam, predecessor dos budas que o sucederão. O Buda não é um deus, mas é superior aos deuses na medida em que alcançou o Despertar e escapou do samsara, o que não é o caso dos deuses do panteão budista. É verdade que estes, que habitam um plano superior em relação à dimensão do mundo, graças a seus méritos acumulados, têm poderes superiores aos dos humanos, e uma vida sem entraves, mas apenas um renascimento na condição humana lhes permitirá um dia ascender ao Despertar, estado último da evolução espiritual dos seres.

O que é um buda? Essa palavra, que vem da raiz sânscrita "budh", significa literalmente "despertar", ou "quem despertou". Um buda é, pois, uma pessoa que, ao termo de suas sucessivas encarnações, alcançou a pura sabedoria, a *boddhi*: a iluminação, a compreensão, o conhecimento profundo. Esse ser, plenamente consciente, conheceu, ao alcançar o Despertar, sua natureza última, chamada de "natureza do buda". Ele se libertou do samsara e atingiu o nirvana, cuja única definição possível é o além do sofrimento, a liberdade completa finalmente alcançada.

Assim que ele experimentou essa profunda transformação interior, o Buda teve consciência de sua nova condição. Contudo, o Despertado se recusa a ser considerado um ser sobrenatural e tornar-se objeto de adoração. Ao longo de sua vida ele repetirá que seu ensinamento se baseia em sua experiência, e somente esta lhe permitiu libertar-se do samsara. No Grande Discurso sobre a destruição da sede do desejo (*Majjhima Nikaya*, 38), ele insiste no fato de que a purificação por meio da meditação é a única capaz de dar nascimento em cada um a um novo ser. Em outras palavras, para que, por sua vez, seus discípulos conheçam o Despertar, basta que sigam o caminho que, aliás, ele não inventou: é "um caminho muito antigo que os seres humanos percorreram numa época distante" (*Samyutta Nikaya*, 12, 65), ensinado por outros budas, até que esses ensinamentos fossem esquecidos. Um caminho que não exige nenhuma intervenção sobrenatural.

Segundo os textos, o Buda recusava qualquer culto da personalidade. Um episódio permanece, porém, surpreendente. Nos dias que precederam seu primeiro sermão, diz a tradição páli, antes mesmo que a *sangha* se formasse, dois irmãos comerciantes de Rangoon, Tapussa e Bhallika, veem o Buda sob uma árvore e imediatamente se impressionam com o aspecto daquele sábio que, evidentemente, tinha atingido um estágio superior do conhecimento. Eles conversam com ele e se tornam, segundo a tradição, seus dois primeiros discípulos leigos. Em seguida, antes de se despedirem para prosseguir caminho, eles lhe perguntam: "O senhor poderia nos dar alguns fios de seus cabelos a fim de levarmos para casa algo seu para venerar?" O Buda lhes dá oito fios. Essa relíquia se encontra atualmente no majestoso pagode Shwedagon, em Rangoon (Birmânia), gigantesco complexo inteiramente recoberto com folhas de ouro, do qual o *stupa* principal, contendo esses oito fios de cabelo, é encimado por uma esfera de ouro incrustada com 4.350 diamantes e uma grande esmeralda de 76 quilates. Quando a situação política birmanesa ainda o permitia, os budistas do mundo inteiro — e de todas as escolas — afluíam para venerar essas "santas relíquias". Uma frase do Buda, valorizada pela tradição Theravada, é tão surpreendente quanto esse episódio. "Aquele que me vê, vê o dharma. Aquele que vê o dharma me vê", teria dito o Buda num discurso reproduzido no *Samyutta Nikaya*. Confundindo-se, desse modo, com o Caminho, o Despertado não sugere que possui dentro de si um elemento que o diferencia dos outros humanos, que lhe confere uma condição singular e universal? A questão continua sendo debatida no seio do budismo. Essa frase não deixa de lembrar a que Jesus pronuncia em resposta a Tomé que lhe tinha perguntado: "Como podemos conhecer o caminho?" E Jesus responde: "Eu sou o Caminho, a Verdade e a Vida. Ninguém vem ao Pai a não ser por mim. Se me conheceis, também conheceis meu Pai; desde agora o conheceis, pois o vistes" (João, 14:6-7).

O Filho do homem

O discurso de Jesus sobre si mesmo, tal como nos contam os quatro Evangelhos, abarca uma larga paleta de identidades. De imediato, os discípulos consideraram o pregador itinerante como um mestre que "percorria os povoados circunvizinhos" (Marcos, 6:6) — um "rabi", como o chamavam em sinal de respeito.* Jesus assume plenamente esse título, posicionando-se ele mesmo como o único "mestre" (Mateus, 23:8). Ele vai mais longe e se proclama "profeta", fazendo referência à grande tradição bíblica no seio da qual se enraíza a noção de profecia. Os profetas são seres humanos escolhidos por Deus para falar ao povo de

* Até o fim do século I, o título de "rabi" é dado aos que detêm um saber, em sinal de respeito. Sua significação atual só será assumida depois da queda do Templo de Jerusalém, no ano 70, depois da constituição do judaísmo rabínico sob a influência de Johanan ben Zakaï, um rabino exilado em Jamnia.

Israel, ensinar-lhe e levá-lo ao bom caminho. Quando ele volta a Nazaré e se choca com o ceticismo de seus habitantes, ele lhes replica: "Um profeta só é desprezado em sua pátria, em sua parentela e em sua casa" (Marcos, 6:4). Mais tarde, quando os fariseus o previnem de que Herodes quer matá-lo, ele explica que tem de prosseguir caminho, "pois não convém que um profeta pereça fora de Jerusalém" (Lucas, 13:33). Ele se dirige à cidade nestes termos: "Jerusalém, Jerusalém, que matas os profetas e apedrejas os que te foram enviados, quantas vezes eu quis reunir os teus filhos, como a galinha recolhe seus pintinhos debaixo das asas, mas não o quiseste" (Lucas, 13:34).

Jesus reivindica também um título ainda mais importante para os judeus do que o de rabi ou de profeta: o de Messias. São os demônios exorcizados por Jesus que fazem essa revelação. E imediatamente Lucas, que conta esse episódio, esclarece: "Em tom ameaçador, porém, ele os proibia de falar, pois sabiam que ele era o Cristo" (4:41). Cristo, do grego *Christos*, que significa "o Ungido" de Deus, é a tradução em grego da palavra hebraica *Mashia'h*, Messias. Na tradição bíblica, o Messias é um homem saído da linhagem de Davi que trará uma era de paz e felicidade da qual todas as nações do mundo se beneficiarão. Na época em que Jesus vive, a espera messiânica é ainda mais intensa pelo fato de que se acredita que este, quando vier, liberte Israel do jugo do ocupante romano. Jesus reivindica o título de Messias em presença de seus discípulos mais próximos. Em Cesareia, quando pergunta a Pedro: "Quem sou eu no dizer das multidões?", Pedro cita-lhe figuras proféticas: João Batista, Elias, Jeremias. Então Jesus insiste: "E vós, quem dizeis que eu sou? Para vós, quem eu sou?" Pedro exclama: "Tu és o Messias, o Filho do Deus vivo!" Nesse episódio comprovado pelos três Evangelhos sinóticos, Jesus ordena então aos discípulos que não revelem a ninguém sua identidade messiânica, sem, portanto, recusar o título, o mais elevado que os judeus poderiam conferir a um homem (Lucas, 9:18-21). Ele o utiliza mais uma vez para se identificar quando declara aos discípulos: "E quem vos der de beber um copo de água porque sois de Cristo, em verdade vos digo, não perderá a sua recompensa" (Marcos, 9:41). Finalmente, quando ele comparece diante do Sinédrio, Jesus é interrogado pelo grande sacerdote sobre essa expressão: "Tu és o Cristo, o filho de Deus Bendito?" "Eu o sou. E vereis o Filho do homem sentado à direita do Poderoso e vindo com as nuvens do céu", responde-lhe Jesus (Marcos, 14:61-62). Presente nos quatro Evangelhos, esse título messiânico, associado ao nome de Jesus, se torna um nome próprio nos outros livros do Novo Testamento, onde o Ressuscitado é quase que exclusivamente designado pelos nomes de Cristo, Jesus Cristo ou Senhor Jesus Cristo.

No instante da morte de Jesus, um centurião teria exclamado: "Verdadeiramente este homem era filho de Deus" (Marcos, 15:39). Ele não foi o primeiro a fazer tal observação: "Tu és o filho de Deus", vociferaram os demônios que saíam dos possuídos exorcizados por Jesus no início de sua prática. De fato, ele chama comumente Deus de seu pai (*abba*), de quem é o enviado e quem lhe conferiu, por essa razão, seus poderes extraordinários.* "Tudo me foi entregue por meu Pai, e ninguém conhece o Filho senão o Pai, e ninguém conhece o Pai senão o Filho e aquele a quem o Filho o quiser

---

* A palavra aramaica *abba* seria logo utilizada por todos os cristãos, inclusive pelos de língua grega, em suas preces. Os pesquisadores são unânimes em considerar que esse uso surpreendente só pode se explicar pela vontade de preservar uma tradição instaurada por Jesus.

revelar", diz ele a seu círculo de discípulos (Mateus, 11:27). Na Bíblia, o apelativo *Beni Elohim*, literalmente "filho de Deus", é também dado aos anjos, as criaturas mais próximas de Deus.

Jesus também manifesta sua particular proximidade com Deus, designando-se como "o esposo". Por ocasião de um jejum do qual participam os fariseus e os discípulos de João Batista, mas que seus discípulos próximos romperam, ele exclama, em resposta aos que o censuram por isso: "Podem jejuar os companheiros do esposo enquanto o esposo está com eles? Enquanto estiver com eles, não podem jejuar. Dias virão, porém, em que o esposo lhes será tirado, e então jejuarão" (Marcos, 2:19-20). Ora, na tradição bíblica, magnificamente ilustrada no Cântico dos Cânticos, o esposo é Deus na sua relação com seu povo. A maioria dos exegetas exclui, contudo, a hipótese de que Jesus tenha querido significar com essa expressão sua condição divina, pois, ao longo dos Evangelhos, ele insiste no fato de que é o enviado de Deus, e não o próprio Deus: "Aquele que me recebe, não é a mim que recebe, mas Aquele que me enviou" (Marcos, 9:37). O que não o impede, como vimos, de se apresentar como o mediador que conduz a Deus e à salvação: "Eu sou o Caminho, a Verdade e a Vida. Ninguém vem ao Pai a não ser por mim" (João, 14:6).

Mas a expressão mais usada por Jesus para falar de si mesmo é a de "Filho do homem". Nos quatro Evangelhos, essa forma bastante enigmática se repete setenta vezes nos lábios de Jesus, mas figura apenas uma vez no restante do Novo Testamento (Atos, 7:56). Para compreender seu sentido, é preciso buscar no Antigo Testamento, onde a expressão, por ser frequente, se reveste de pelo menos três sentidos diferentes. Nos Salmos, ela designa o homem comum, com seus limites:

"Ao ver o céu, obra de teus dedos, a lua e as estrelas que fixaste, o que é o homem para que tu penses nele, o filho do homem para que dele te ocupes?" (Salmo 8). O profeta Ezequiel, o Filho do homem (Filho, escrito com maiúscula, como nos Evangelhos) define tipicamente a função profética. "Ele me disse: Filho do homem, põe-te de pé, que vou falar contigo. Assim que ele me disse essas palavras, o Espírito entrou em mim e me fez ficar de pé; e eu ouvi aquele que me falava. Ele me disse: Filho do homem, eu te envio aos filhos de Israel, aos povos rebeldes que se revoltaram contra mim; eles e os seus pais ficaram contra mim até o dia de hoje. São filhos de semblante duro e de coração empedernido; eu te envio a eles, e tu lhes dirás: Assim diz o Senhor, o Eterno" (Ezequiel, 2:1-4). Finalmente, no livro de Daniel, faz-se menção a um Filho do homem a quem Deus dá todo poder sobre as nações, o que corresponde à condição messiânica: "Eu contemplava as visões noturnas, e eis que sobre nuvens veio como que um Filho do homem; dirigiu-se para um ancião, e o viram aproximar-se dele. E lhe foram dados glória e reino, e todos os povos, nações e línguas o serviram. Seu domínio é um domínio eterno que não passará, e seu reino jamais será destruído" (Daniel, 7:13-14).* Quando Jesus se nomeia "Filho do homem", o que ele quer dizer? É muito possível que ele se atribua os três sentidos bíblicos dessa expressão: ele é um homem como outro qualquer, é um profeta e é o Messias anunciado por Daniel. De fato, suas afirmações, quando ele se qualifica desse modo, estão geralmente relacionadas ao anúncio da missão messiânica e ao anúncio da vinda do Reino de Deus. Assim, quando ele declara ter o "poder de

* Os três textos foram traduzidos da versão francesa, traduzida por Louis Second.

perdoar os pecados sobre a terra" (Marcos, 2:10), quando ele diz que é "senhor até do sábado" (Marcos, 2:28), ou quando anuncia o fim dos tempos quando "verão o Filho do homem vindo entre nuvens com grande poder e glória" (Marcos, 13:26), ou ainda quando profetiza sua ressurreição "depois de três dias" (Marcos, 8:31).

10

O que diz a tradição mais tardia

O que se tornaram, ao longo dos séculos, as figuras de Sócrates, do Buda e de Jesus, na tradição filosófica ocidental, na tradição budista e na religião cristã?

Os três corpos do Buda

Quando o Buda morre, com a idade de 80 anos, sete dias de homenagem lhe são prestados pelo amplo círculo de seus discípulos e dos que reconheceram o caminho, e depois seu corpo é incinerado. Sua notoriedade está suficientemente estabelecida, e sua mensagem largamente divulgada para que essa incineração provoque tensões que por pouco não degeneram na "guerra das relíquias". O Despertado tinha certamente prevenido contra a veneração de sua pessoa, recomendando repetidas vezes aos seus: "Quando eu morrer, sede vossa própria ilha, vosso próprio refúgio." Todavia, o sutra *Mahaparinirvana* do cânone páli conta que, numa última conversa com seu companheiro e discípulo Ananda, o Buda lhe explica a conduta a seguir tendo em vista a incineração de seu corpo, concluindo deste modo: "Numa encruzilhada, deverão erguer um estupa. E quem levar flores, ou incenso, ou pasta de madeira de sândalo, ou fizer genuflexões, e cujo espírito se tranquilizar naquele lugar, será para seu próprio bem-estar e felicidade" (5, 26 e 6, 24). Esse mesmo sutra relata as desagradáveis negociações que precederam a partilha das cinzas do Despertado. Elas são finalmente repartidas em oito punhados iguais, enviadas aos oito reinos nos quais foram erguidos estupas — monumentos nos quais as relíquias dos grandes mestres são guardadas para serem veneradas pelos fiéis — para recolhê-las. Uma lenda posterior diz que no século III a.C. o imperador Ashoka encontrou esses estupas e novamente distribuiu as cinzas para erigir... 84 mil relicários!

Rapidamente, os discípulos se apressam em reunir as palavras e os testemunhos da vida do mestre. O material recolhido é abundante. Quinhentos *arhat* — fiéis que apagaram a última centelha de paixão dentro de si — se reúnem em concílio na caverna das Sete Folhas para estabelecer o primeiro cânone do qual não sobrou vestígio histórico algum, e do qual cada escola apresenta hoje sua própria versão. A comunidade não reconhece autoridade central que servisse de defesa contra as heresias, mas se preocupa em preservar sua unidade, garantia da perpetuação dos ensinamentos. Ora, rapidamente aparecem divergências relativas principalmente à extrema exigência do caminho do *arhat*, ideal do santo perfeito, despojado de todas as paixões e maduro para a "visão penetrante" e para o Despertar. Esse caminho é reservado a uma ínfima minoria. Não seria preferível tornar mais maleáveis as regras da exigência monástica para assegurar uma larga difusão do dharma? Outros dois concílios se reúnem na metade do século IV a.C., em Vaisali, e em seguida em

Pataliputra, onde o monge Mahadeva consegue a adesão da maioria, estabelecendo que a perfeição do *arhat* é ilusória. Ele considera como prova os sonhos eróticos que sobrevêm a muitos deles, sinal de que seus desejos não se apagaram completamente. Esse primeiro grande cisma resulta na criação de duas grandes tendências, que por sua vez se subdividirão em várias escolas.

A minoria "conservadora", presa ao ideal do *arhat* perfeito, é chamada de a Doutrina dos Anciãos: Theravada. Com certo desprezo, a maioria budista, que reivindica para si o Grande Veículo (Mahayana), a chama de "Pequeno Veículo" (Hinayana), designando, por essa apelação, o caminho estreito, excessivamente exigente e, sobretudo, individual, que cada um segue, tendo em vista sua própria libertação.

Os seguidores do Theravada descrevem o Buda como um sábio bastante humano que alcançou o Despertar, um mestre excepcional que soube adaptar seu discurso aos diferentes interlocutores, até lhe dar "84 mil portas de entrada". Seguindo seus passos, quer dizer, seguindo sua experiência, um ser pode, como ele o fez, libertar-se do samsara.

Os seguidores do Mahayana, que se expandiu e se consolidou definitivamente na virada do século I de nossa era, propõem uma prática menos austera, oferecendo aos leigos a possibilidade de alcançar o Despertar pela prática da meditação e da compaixão. Essa doutrina se baseia nos ensinamentos transmitidos pelo Buda, mas também em textos posteriores. O ideal deles não é o do *arhat*, mas o do *bodhisattva*, um ser excepcional que não visa o nirvana, mas um "Despertar perfeito", permitindo-lhe permanecer no samsara para libertar, por seus ensinamentos, todos os que continuam a sofrer. É por causa dessa compaixão vivida, dessa "grandeza", que o nome Grande Veículo foi dado a esse caminho. Para os mahayanistas, o Buda não é o único mestre: há milhares de outros budas, tão numerosos quanto os grãos de areia do Ganges, nos diferentes planos da existência, e cada ser deve fazer o possível para se tornar um buda — fim que muitos já alcançaram.

Nesse caso, o que é um buda e, mais exatamente, quem é o Buda histórico? Segundo o Mahayana, Gautama não é um simples humano — afirmação considerada uma heresia aos olhos do Theravada. Ele é a manifestação, num "corpo de metamorfose", de um buda cósmico. Para compreender o que é esse "corpo", é preciso analisar a doutrina do *trikaya*, em outras palavras, dos "três corpos" do Buda, desenvolvida pelo Mahayana. Esses três corpos coexistem no Buda bem como em todos os budas. O primeiro corpo, o mais sutil, desprovido de qualquer forma, é o *dharmakaya*, literalmente, o corpo de dharma: é um corpo eterno, único, cósmico, o de um buda primordial, por assim dizer, que representa a dimensão de vacuidade do Despertado, e que somente o ser realizado que se libertou completamente do samsara pode perceber. O segundo, o *sambhogakaya*, literalmente, o corpo de retribuição, é um reflexo do *dharmakaya*; ele aparece graças à acumulação de méritos e permite aos *bodhisattva* realizar a budeidade; é um corpo perfeito ("dotado das cinco perfeições", segundo a fórmula usual), que tem a faculdade de salvar do ciclo das reencarnações todos os que conseguem vê-lo. Finalmente, o terceiro é o *nirmanakaya*, um corpo de manifestação (ou de emanação), por exemplo, o que o Buda escolheu por compaixão para com os seres, para renascer príncipe Sidarta, tornado Gautama. Esses dois últimos corpos, o *sambhogakaya* e o *nirmanakaya*, que são duas manifestações mais "grosseiras" do buda primordial, formam o *rupakaya*, o corpo perceptível. Observemos, porém, que nos sutras do Theravada dos "Antigos", o termo *dharmakaya* aparece frequentemente; ele não representa um corpo cósmico, mas o *corpus* dos ensinamentos, que sobrevive à morte terrena do Buda. Portanto, teoricamente, para os fiéis dessa escola, não se trata de subtrair ao Buda sua humanidade, nem de lhe conceder qualidades que não sejam deste mundo.

Atualmente, as práticas devocionais dirigidas em primeiro lugar ao Buda são difundidas em todos os países de tradição budista. Neles, o Buda é, de fato, divinizado. Cabe dizer que o budismo popular, inclusive o que é praticado nos templos do Pequeno Veículo, oferece uma multiplicidade de deuses, demônios, *bodhisattva.* Sob todas essas representações, em particular as do Buda, as oferendas se acumulam, e os fiéis vêm implorar ajuda, proteção sobrenatural. As hierarquias são muito tolerantes com todas essas práticas, que elas consideram como um apoio que permite aos praticantes progredirem no Caminho. Gautama não queria provocar idolatria; apesar disso, porque os homens são assim feitos, ele não escapou da veneração, ou mesmo da divinização...

O homem-Deus

Os primeiros textos cristãos afirmam que um acontecimento determinante intervém cinquenta dias depois da morte e ressurreição de Jesus, quando ele tinha deixado de aparecer aos discípulos havia uns dez dias. Um barulho enorme sacode as paredes de uma casa onde estão reunidos os apóstolos. Línguas de fogo aparecem e pousam sobre cada um deles: "Todos ficaram repletos do Espírito Santo e começaram a falar em outras línguas, conforme o Espírito lhes concedia que se exprimissem" (Atos, 2:4). À multidão que se precipita, Pedro anuncia: "Deus o constituiu Senhor e Cristo este Jesus que vós crucificastes" (Atos, 2:36). E os apóstolos imediatamente iniciam a pregação "em nome do Pai, do Filho e do Espírito Santo" (Mateus, 28:19). Assim nasce a Igreja, em Jerusalém. Uma Igreja fundamentalmente judaica, cujas comunidades se reúnem para ouvir as palavras de Jesus, Filho de Deus, e as narrativas de sua vida, contadas por aqueles que conviveram com ele. E elas esperam sua volta. Jesus é "a pedra angular" de sua fé (Marcos, 12:10), e a expressão "Jesus Cristo é o Senhor" se torna sua profissão de fé (Filipenses, 2:11; Romanos, 10:9...).

O Jesus que veneram é muito mais que um homem: ele é o Filho único de Deus, aquele que "Deus enviou [...], nascido de uma mulher, nascido sob a Lei, para resgatar os que estavam sob a Lei, a fim de que recebêssemos sua adoção filial", como escreve Paulo na Epístola aos Gálatas (4:4-5). E ele desenvolve a ideia, que se tornou central, da morte de Jesus para a redenção do mundo: "O Cristo morreu por nossos pecados" (1 Coríntios, 15:3). No entanto, será preciso esperar outro acontecimento determinante, a destruição do Templo de Jerusalém e o rompimento com o mundo judaico, para que aqueles que já são chamados em Antioquia, segundo os Atos dos Apóstolos, de *christianoi*, literalmente, "partidários do Cristo" (11:26), dirijam sua reflexão para um novo caminho: e se Jesus fosse a encarnação de Deus?

Em seu prólogo, o Evangelho de João inaugura grande reviravolta na cristologia: ele não se contenta mais em afirmar o messiado e a filiação divina do Jesus, ele nomeia a divindade do Cristo. Jesus, na palavra de João, é Logos, o Verbo, que está no começo de tudo, pelo qual tudo é criado (1:1-3), e que "se fez carne" (1:14). Ele é anterior à sua encarnação, anterior mesmo à criação do mundo, logo, eterno: ele é de natureza divina. Na Alexandria do fim do século II, onde os cristãos de cultura grega estão familiarizados com a noção de *logos* definida pelos filósofos como uma racionalidade que governa o mundo segundo o plano divino, essa concepção é imediatamente admitida e rapidamente desenvolvida na Didascália, que é então uma das mais célebres escolas de teologia. Clemente de Alexandria, sucessor de Panteno na direção dessa escola, afirma claramente: "O Filho está no Pai, e o Pai está no Filho", acrescentando que Deus e o Cristo-Logos "são uma só e mesma coisa, Deus".*

Vemos assim a rápida evolução, em poucas gerações, da percepção que têm de Jesus os pensadores cristãos. Contudo, a tese alexandrina da dupla natureza do Cristo, simultaneamente humana e divina, não deixa de provocar turbulência. E a palavra é fraca diante das querelas, estigmatizações, acusações de heresia, exclusões e cismas que marcarão profundamente os cinco primeiros séculos do cristianismo.

Voltemos, porém, ao fim do século II. Enquanto os alexandrinos promovem a noção de *logos*, várias doutrinas contestadoras surgem, começando pelo docetismo, próxima da gnose, mencionado e combatido por Clemente de Alexandria, que vê na encarnação, quer dizer, no corpo humano do Jesus histórico, uma ilusão, já que o Cristo é Deus. Em reação, os adocionistas caminham no sentido inverso: para eles, Jesus é plenamente homem, e ele só foi adotado por Deus num segundo momento. Aproximadamente na mesma lógica, os teodocianos afirmam que Jesus recebeu o Espírito Santo no dia de seu batismo, mas adquiriu natureza divina depois da Ressurreição (essa doutrina será condenada pelo papa Vítor, no ano 198). Citemos também os modalistas ou

* *Pedagogo*, 1, 5 e 1, 8.

monarquianistas, cuja doutrina conhecerá imensa popularidade, até mesmo junto a alguns bispos. Para eles, Deus e Jesus são uma única e mesma pessoa, logo, foi Deus quem foi crucificado. Um dos Pais da Igreja, Tertuliano (c.160-c.240), os acusará de prestar serviço ao Diabo, "crucificando o Pai".* A Igreja de Roma, cuja primazia é reconhecida pelas outras Igrejas desde o desaparecimento, no ano 70, da *ekklesia* hierosolimita, elabora no mesmo momento sua profissão de fé, a qual será retomada quase que identicamente no concílio de Niceia, em 325. Ela estipula: "Creio em Deus, Pai Todo-poderoso, e em Jesus Cristo, seu único Filho, nosso Senhor, nascido do Espírito Santo e da Virgem Maria, crucificado sob Pôncio Pilatos e sepultado, ressuscitado dos mortos ao terceiro dia, subido aos céus, sentado à direita do Pai, de onde virá julgar os vivos e os mortos, e no Espírito Santo, na santa Igreja, na remissão dos pecados, na ressurreição da carne."**

No século III, quando os cristãos sofrem terríveis perseguições no Império romano, suas querelas religiosas se agravam. Agora elas têm como objeto a natureza do Cristo, e também o mistério de sua relação com as outras duas pessoas divinas, o Pai e o Espírito Santo. O arianismo, cujo nome provém do sacerdote alexandrino Arius, ameaça particularmente a doutrina oficial por causa de sua considerável divulgação — por meio de cartas, mas, sobretudo, nos cânticos populares que Arius compõe, repetido pelos marinheiros do porto e pelos viajantes, como um século mais tarde escreverá Filostórgio na sua *História Eclesiástica*, explicitando: "Era pelo prazer que lhes provocava com suas melodias que ele atraía

* *Contra Práxeas ou sobre a Trindade*, 1.
** Tradução da versão francesa de Léon Duchesne, na *Histoire ancienne de l'Église* [Historia Antiga da Igreja] (1911), p. 505.

para a sua própria impiedade os homens mais ignorantes."*
Segundo Arius, o Filho ou Logos, sendo gerado pelo Pai, não é Deus, mas inferior a Deus, um intermediário entre o Pai e a Criação, gerado antes das criaturas para ser o criador delas. "Este [o Filho] nada possui da característica de Deus segundo a substância que lhe é própria, pois não é igual a Ele, nem mesmo consubstancial", escreve ele num de seus cânticos. Para ele, nem por isso Jesus deixa de ser homem. O Verbo certamente se uniu à carne, mas não se fez homem, na medida em que essa carne não era habitada por uma alma humana, mas pelo Deus secundário. Excomungado pela Igreja de Alexandria, Arius se refugia em Cesareia, onde recebe o apoio de Eusébio e de numerosos bispos orientais, enquanto seus detratores são recrutados principalmente entre os eclesiásticos latinos reunidos em torno de Atanásio, bispo de Alexandria.

Preocupados em manter a paz civil, o imperador Constantino toma a iniciativa de reunir um primeiro concílio ecumênico em Niceia, em 325, para estabelecer os termos do dogma da Trindade. Depois de semanas de debates tumultuados, o imperador impõe o Símbolo dito de Niceia, que decreta que Jesus Cristo é "o Filho único de Deus, nascido do Pai como Filho único, quer dizer, nascido da substância do Pai, Deus nascido de Deus, luz nascida da luz". Arius é declarado herege e exilado, bem como dois bispos que se recusam a assinar a profissão de fé.

Em 379, Teodósio I, sucessor de Constantino, destitui vários bispos orientais que ele suspeita de arianismo,

* *A História Eclesiástica de Filostórgio*, 2, 2. Dos 12 volumes redigidos por Filostórgio, abarcando um período que vai do início da controvérsia arianista até 425, só resta a compilação realizada no século IX pelo patriarca Fócio de Constantinopla.

e convoca um segundo concílio ecumênico sediado em Constantinopla, em 381. Ele confirma o Símbolo de Niceia, acrescentando-lhe uma formulação sobre o Espírito Santo. Sua formulação do dogma trinitário constitui uma vitória para a Igreja de Alexandria: "O Filho único de Deus, Deus verdadeiro de Deus verdadeiro engendrado, não criado, consubstancial ao Pai. O Espírito procede do Pai e do Filho, é adorado e glorificado com o Pai e o Filho." Assim é afirmada a existência de um Deus único em três pessoas, que existem uma em relação às outras duas, agindo de modo indivisível. Jesus, que é a segunda pessoa da Trindade, possui duas naturezas, uma natureza divina e uma natureza humana. Ele é ao mesmo tempo plenamente homem e plenamente Deus.

Nem assim o cristianismo é pacificado: o mistério do Cristo continua a interpelar os teólogos e a multidão de fiéis, que se entregam a verdadeiras lutas e organizam manifestações e contramanifestações, agora em torno da "substância" do Filho. Como explicar a dupla natureza, humana e divina, do Verbo encarnado? O velho debate sobre a Trindade retorna: o Filho é consubstancial ao Pai? É seu igual? O monge persa Nestório, nomeado bispo de Constantinopla em 428, dá o tom, em seu primeiro sermão de Natal, afirmando que Maria não é a mãe de Deus, tese evitada pela Igreja oficial, mas de Jesus, "o Filho do Senhor", o que redunda em negar a divindade de Jesus. Em seguida, ele explica sua ideia: a natureza do Filho, diz ele, é dupla; o Cristo é uma pessoa humana habitada pelo Logos. Frente a ele, a escola de Alexandria afirma o monofisismo: ela considera que o Cristo é dotado de uma só natureza que absorveu a natureza humana no momento de sua concepção.

Em junho de 431, o imperador Marciano, pressionado por Cirilo, patriarca de Alexandria, que faz disso um acaso pessoal contra o rival Nestório, patriarca de Constantinopla, reúne um concílio em Éfeso. Cirilo é o primeiro a chegar e distribuiu ao séquito do imperador suas "bênçãos" em forma de presentes caros: tapetes, livros, ouro, cadeiras de marfim... Ele abre (e encerra) o concílio antes da chegada de Nestório e da delegação de Antioquia, rebaixa o patriarca de Constantinopla e condena sua tese. O bispo João de Antioquia, que chegou no dia seguinte, abre novamente o concílio e, por sua vez, condena Cirilo, cuja tese sobre a natureza do Cristo se afasta da ortodoxia romana. Nas ruas, partidários das duas tendências chegam às vias de fato. Éfeso termina sem declaração ou resolução, anátemas são lançados, uma grave divisão ameaça o cristianismo... em nome do Cristo!

Em 451, um concílio reunido na Calcedônia não dá razão nem ao nestorianismo nem ao monofisismo, e decreta: "Unanimemente ensinamos confessar um só e mesmo Filho, Nosso Senhor Jesus Cristo, perfeito em sua humanidade, verdadeiro Deus e verdadeiro homem, de alma racional e de corpo consubstancial a nós pela humanidade, semelhante a nós em tudo, exceto pelo pecado. Reconhecemos [nele] duas naturezas sem confusão ou mudança, sem divisão ou separação. Confessamos não um Filho dividido ou separado em duas pessoas, mas um só e mesmo filho, monógino: Senhor Jesus Cristo, como antes anunciaram os profetas, como o próprio Jesus Cristo nos ensinou e como o Símbolo dos Pais no-lo transmitiu." O concílio confirma, assim, o fato de que o Cristo é verdadeiramente Deus e verdadeiramente homem, e é essa profissão de fé que hoje é reconhecida por uma imensa maioria de cristãos.

Essa declaração "ortodoxa" acarreta o primeiro grande cisma da cristandade. A Igreja de Alexandria, cujo patriarca Dióscoro é deposto e exilado, cria dissidência para permanecer fiel ao monofisismo, e assume o nome de Igreja Copta. A Igreja Jacobita de Antioquia (chamada de Síria Ortodoxa), a Igreja Armênia e a Igreja Siro-Malabar indiana juntam-se a ela. Os discípulos de Nestório se reagrupam numa Igreja nestoriana, não reconhecida, mas que sobreviveu aos séculos. Atualmente, ainda subsistem algumas comunidades no Oriente Médio, notadamente no Iraque.

O pai da filosofia

Com a morte de Sócrates, um rumor repetido por Diógenes Laércio conta-nos que seus acusadores foram banidos de Atenas e que os atenienses "homenagearam Sócrates com uma estátua de bronze, obra de Lisipo, instalada no Pompeion". Laércio cita ainda os versos que Eurípedes teria composto em honra de Sócrates no *Palamédio*, obra de que jamais se encontraram vestígios: "Vós o matastes, vós matastes o mui sábio, o inocente rouxinol das Musas." A realidade é, sem dúvida, menos gloriosa. A hostilidade dos notáveis atenienses para com os discípulos do mestre continuou por anos, e parece que sua execução foi considerada um acontecimento menor na cidade, salvo para seus amigos e para o que hoje se chamaria de "meio intelectual". Para a massa, tratava-se apenas de um julgamento político destinado a restabelecer a ordem. Porém, para seus discípulos, ficou logo evidente que uma personalidade incomparável tinha sido sacrificada no altar da injustiça. Contudo, essa morte sem dúvida contribuiu para a sua celebridade. Todos os filósofos que sucederão a Sócrates farão referência a ele, quer para apoiar suas ideias, desenvolvê-las ou inspirar-se nelas, quer para criticá-las e combatê-las. Sócrates é considerado o pai da filosofia porque soube orientar a vida humana para a busca da verdade e da sabedoria. Para ele, a realização dessa busca só é possível pelos esforços da razão e pela introspecção. Ele se tornou o protótipo do "sábio", aquele que sabe se controlar e manter coerência entre palavras e atos. Exerceu uma influência considerável sobre a maioria dos filósofos gregos e romanos da Antiguidade, e sobre os teólogos judeus, cristãos e muçulmanos da Idade Média. Ele marcou e continua a inspirar muitos pensadores modernos, de Montaigne a Foucault, passando por Rousseau e Nietzsche. Pode-se mesmo afirmar que ele foi a chave de abóbada do pensamento humanista que forjou o Ocidente.

Contudo, inversamente ao que aconteceu com Jesus e com o Buda, que se distinguem como grandes fundadores de religiões, a tradição filosófica moderna tendeu a minimizar, e mesmo a ocultar, o aspecto religioso do personagem, para não ver nele senão um filósofo racionalista. Que Sócrates tenha decidido se apoiar na razão humana, e apenas nela, para filosofar e conduzir seus interlocutores até a verdade, é evidente. Que ele tenha incitado seus contemporâneos a superar os mitos religiosos para procurar neles mesmos as chaves do conhecimento, é certo. Mas nem por isso façamos dele, como tem acontecido há séculos no Ocidente, um puro racionalista, inimigo da religião, tendo horror ao mito da espiritualidade, em resumo, um cientista materialista antes da hora!

Nessa perspectiva, onde fica o oráculo de Delfos que suscitou sua vocação filosófica? Onde fica seu *daimon*, ao qual ele sempre se refere, e seus êxtases que assombram seu auditório? Onde ficam ainda sua religiosidade e seus longos discursos sobre a imortalidade da alma? Sócrates se apoia na razão sem por isso negar a dimensão enigmática e transcendente da existência. Ele é racional sem ser racionalista. Ele é místico sem ser dogmático. A "desespiritualização" de Sócrates pelos Modernos não é tão discutível, no que diz respeito aos textos, quanto a divinização tardia do Buda?

Segunda parte

O que eles nos dizem?

11

Tu és imortal

A morte não é um fim, mas uma passagem. Tanto para o Buda como para Sócrates e Jesus nossa existência terrena deve ser compreendida numa perspectiva mais larga, que implica uma vida após a morte. Esse é o primeiro ponto central comum ao ensinamento deles. A insistência na necessidade de desenvolver a vida interior, de procurar a verdade, de conquistar a sabedoria, a justiça e o amor, não pode ser compreendida senão em relação a essa crença. Contudo, esta não é uniforme: a imortalidade de que falam Sócrates, Jesus e o Buda não é exatamente da mesma natureza. Se, para eles, somos todos imortais, as modalidades dessa imortalidade variam em função das culturas nas quais eles viveram e da experiência que tiveram.

Sair da roda dos renascimentos

Quando o príncipe Sidarta inicia sua busca, ele vai à floresta ficar com Alara, um mestre muito conceituado. Este fica assombrado com os progressos fulminantes de seu aluno e lhe propõe dirigir um grupo com ele: "Teremos muitos discípulos", insiste ele.* Em sua resposta, aquele que ainda não é o Buda resume o objetivo de sua busca — que também será o objetivo de todos os seus ensinamentos: "Não procuro ter discípulos. Procuro apenas o fim do ciclo dos nascimentos e a pacificação duradoura." Em outras palavras, uma solução para o enigma da existência, uma felicidade que perdure para além da felicidade fugaz que os bens terrenos trazem, tanto nesta vida quanto nas por vir. Sidarta está convencido de que essa solução existe, e que sua chave é acessível nesta vida mesmo. Ele a encontrará quando alcançar o Despertar.

Para o Buda, a vida não é um círculo de sofrimentos que começa no nascimento, pontuada, em seguida, pelo "envelhecimento, a doença, a morte, a tristeza, a impureza" (*Majjhima Nikaya,* 26). O meio que ele apresenta para sair disso se articula em torno de três noções que ele não inventou, mas que, já na sua época, tinham sido recuperadas do fundo védico e redefinidas pelos ascetas que edificariam o hinduísmo e o jainismo tais como os conhecemos hoje. Elas se resumem a três palavras sânscritas: o *karma*, o *samsara* e o *nirvana*.

Para compreender essas noções, convém inicialmente definir o que é o Eu no ensinamento do Buda — esse Eu que acumula carma, mantendo-o no samsara e impedindo-o de alcançar o nirvana. O hinduísmo postula a existência de um Eu permanente, o *atmã* — equivalente à alma na tradição ocidental —, que se reencarna até a libertação definitiva da roda dos renascimentos. Em seu primeiro sermão de Benares, o Buda define o atmã como uma projeção mental e postula

* Este episódio é contado no *Lalitavistara*, biografia poética do Buda, redigida em sânscrito, provavelmente no início de nossa era.

um *anatmã*, um não Eu. Segundo ele, todo ser vivo é a combinação de cinco elementos em constantes flutuações: o corpo ou a matéria, as sensações, as percepções, as formações do espírito e a consciência. Portanto, o Eu é, por definição, impermanente, inconstante, mudando de um segundo para o outro, sempre temporário, como são o fogo que crepita ou a água que corre. Um célebre diálogo entre o monge budista Nagasena e o rei Manandro (Milinda), que reinou no século II a.C., no noroeste da Índia, permite melhor compreender essa noção. O monge pede que o rei lhe defina o que é uma carroça, e ele lhe cita sucessivamente os elementos que a constituem: a carroça é uma roda? Um eixo? Uma corda? Ela é a soma desses elementos? O rei lhe responde pela negativa antes de dizer ao monge que a carroça é um conjunto, numa determinada ordem, de todos os elementos que ele citou. O monge lhe diz então que assim é o Eu.

Passemos ao carma. Na doutrina hindu, que o chama de *karman*, trata-se de uma lei de causalidade própria de cada ato que realizamos, da sua intenção e do seu resultado, que condiciona a reencarnação do atmã. Para o Buda, é a intenção do ato, e não o ato em si, que determina seu valor cármico. Existem atos ditos puros ou neutros, livres de todo o carma: são atos comuns como dormir ou se lavar, realizados sem intenção positiva ou negativa. Por outro lado, existem atos intencionais (do corpo, da palavra ou do pensamento), realizados sob o efeito da crença em um Eu, e animados pela sede de devir pessoal. Eles são ditados por nossos desejos e nossas aversões: eu busco o que me é prazeroso, eu rejeito o que me é desagradável, e, conforme o ato seja nocivo ou benéfico a outrem, dele resulta um peso cármico negativo ou positivo, que acumulamos, e que nos mantém no samsara. Dependendo do peso do carma que ele acumulou, o indivíduo renasce numa das seis esferas de existência, cada uma subdividida em vários "estados de consciência": as dos deuses, em que a vida se conta em milhões de anos, dos "titãs" (ou deuses invejosos), dos humanos (a mais favorável, porque somente ela dá acesso ao Despertar), dos animais, dos espíritos ávidos e, finalmente, dos infernos. No entanto, para o Buda, como acabamos de ver, não existe um Eu imutável chamado a se reencarnar: com a morte do indivíduo, os cinco componentes que formam o Eu, onerados com o peso cármico, se separam e se reúnem novamente sob esse peso. Formam eles um Eu idêntico ao que se extinguiu? O budismo responde a essa interrogação dando o exemplo de uma vela que se apaga que reacendemos. Trata-se certamente da mesma vela, da mesma cera, da mesma mecha, mas pode-se dizer que o fogo que dela jorra é o mesmo que foi apagado?

A única saída, para nos libertarmos do samsara, é o nirvana, chamado de *moshka* (libertação) pelos hindus. Desse estado último de libertação, o Buda disse bem pouca coisa, a não ser que especulações sobre ele são inúteis, já que ele ultrapassa as capacidades da experiência e do entendimento humanos. Ele é a "felicidade suprema" (*Dhammapada*, 204), disse inicialmente o Buda. Depois, diante da insistência dos discípulos, ele explicou o conceito de nirvana, falando do que ele não é: "Ele é, ó monges, um domínio onde não há nem terra, nem água; nem fogo, nem vento; nem domínio da infinitude da consciência, nem domínio do nada; nem domínio sem percepção, nem ausência; nem este mundo, nem o outro mundo; nem sol, nem lua. Esse, ó monges, eu chamo de domínio sem ida ou volta, sem tempo, sem morte, sem renascimento, pois ele é desprovido de fundamento, de progressão, de suporte: é o fim da dor" (*Udana*, 8, 1, chamado de "Sutra do nirvana"). O nirvana é a extinção, mas não é o nada. Trata-se de um além do sofrimento. O Buda terá uma palavra elíptica assim quando, em outra ocasião, seus discípulos o interrogarem sobre seu devir depois de sua própria morte: "Depois da morte, um Tahagata ao mesmo tempo existe e não existe. Depois da morte, um Tahagata não existe nem não existe. Essa é a única verdade" (*Auguttara Nikaya*, 10, 95).

A viagem da alma imortal

Quando lemos os diálogos de Platão nos quais Sócrates desenvolve sua teoria da imortalidade, em particular *Fedro* e *Fédon*, não podemos deixar de nos surpreender com a espantosa proximidade existente entre suas teses e as do Buda. De fato, embora Sócrates defenda a existência de uma alma permanente e indestrutível, enquanto o Buda a recuse por sua teoria do não Eu, ambos sustentam a tese de um ciclo de renascimentos, cada renascimento estando condicionado pelo que o precedeu, e esse ciclo tendo como objetivo uma purificação que visa alcançar esferas superiores. Se o Buda herdou sua teoria da Índia védica, Sócrates apresentou ideias que se encontram notadamente em seu antepassado Pitágoras, filósofo, matemático e, sobretudo, mestre de sabedoria e criador de uma escola iniciática.

Sabemos que Pitágoras foi contemporâneo do Buda. Teria ele vivido na Índia? É o que afirma a lenda, mas não dispomos de prova alguma dessa viagem. Em compensação, é bem provável que, num mundo em que se viajava muito, ele tenha conhecido sábios do Indo e tenha sido seduzido pela doutrina do além. Em todo caso, ele afirmava a preexistência da alma, cuja encarnação terrestre não é uma recompensa, mas um castigo. Carregada de erros e ávida por alcançar a terra dos Felizes, a alma deve aproveitar esta vida para se purificar por rituais e práticas de ascese. Se ela falha, o que é frequentemente o caso, é condenada a se reencarnar sob forma humana, ou, ainda pior, numa planta ou num animal. A concepção socrática da imortalidade da alma é tão próxima das ideias indianas e pitagóricas, e, por outro lado, tão afastada de nossa visão contemporânea de Sócrates que eu decidi me apoiar o máximo possível nos textos para explorá-la. Assim, o leitor que não leu Platão poderá ter uma ideia precisa sobre o modo como o discípulo de Sócrates conta as afirmações de seu mestre sobre essa questão perturbadora para nossos espíritos modernos.

A alma, segundo Sócrates, "é semelhante ao que é divino, imortal, inteligível, simples, indissolúvel, sempre o mesmo, e sempre semelhante a si mesmo", enquanto o corpo "equipara-se ao que é humano, mortal, sensível, multiforme, dissolúvel, sempre em mudança, nunca semelhante a si mesmo" (*Fédon,* 80b). O corpo é destinado a desaparecer, mas Sócrates garante a imortalidade da alma, e pretende demonstrá-lo pela teoria do movimento: "Ora, o movimento é a essência e a natureza da alma" (*Fedro*, 245). Consequentemente, "a alma não pode ter nem nascimento, nem fim" (*Fedro,* 246). Essa crença é suficientemente enraizada para que ele não tema sua própria morte. Quando é informado de sua condenação, sua serenidade surpreende os amigos entristecidos, aos quais, conta Platão, ele diz com uma ponta de humor: "Eis chegado o momento de nos separar, vós para viver, e eu para morrer. Eu ou vós, quem fica com a melhor parte? Só o deus sabe" (*Apologia*, 42a). Ele explica no *Fédon,* último diálogo que dedica à morte e à imortalidade, e que Platão, ausente nesse dia, mas confiando no testemunho dos companheiros, conta com sensibilidade: "Chegou o momento de vos prestar contas das razões que me levam a acreditar que um homem que se entregou seriamente ao estudo da filosofia vê chegar a morte com tranquilidade e com a firme esperança de que, quando deixar esta vida, encontrará bens infinitos. O senso comum ignora que a verdadeira filosofia é apenas uma aprendizagem, uma antecipação da morte. Sendo assim, não seria absurdo ter pensado somente na morte durante toda a vida e, quando ela chega, ter medo dela e recuar diante do que se buscava?" (*Fédon*, 63e-64a). Portanto, a recomendação que ele não deixa de reiterar: "Que permaneça confiante em sua alma aquele que, durante a vida, rejeitou os prazeres e os bens do corpo como lhes sendo estranhos e nocivos. Aquele que amou os prazeres da ciência, que ornou sua alma, não com um adorno estranho, mas com o que lhe é próprio, como a temperança, a justiça, a força, a liberdade, a verdade, deve esperar tranquilamente a hora da partida para o outro mundo, pronto para a viagem quando o destino o chamar" (114e-115a).

Sócrates lembra continuamente: "Antes do cuidado com o corpo e com as riquezas, antes de qualquer outro cuidado, vem o da alma e seu aperfeiçoamento" (*Apologia*, 30b). Em termos que se assemelham estranhamente aos do Buda, ele alerta contra os estragos que o corpo pode causar à alma quando ele a obriga a saciar seus desejos: "Enquanto tivermos o corpo, e nossa alma estiver atolada nessa corrupção, jamais possuiremos o objeto de nosso desejo, quer dizer, a verdade. Pois o corpo nos opõe mil obstáculos pela necessidade que temos de mantê-lo", diz ele (*Fédon,* 66b). Ele insiste: "O corpo nunca nos leva à sabedoria. Quem provoca as guerras, as divisões, os combates? Apenas o corpo, com todas as suas paixões. De fato, todas as guerras vêm apenas do desejo de acumular riquezas, e somos forçados a acumulá-las por causa do corpo para servir, como escravos, às suas necessidades" (66c-d). Todavia, Sócrates não prega nem a ascese estrita, nem o martírio do corpo (82e). O caminho que ele sugere, o mesmo que o Buda propunha, é o da "temperança, da qual a maioria só conhece o nome, virtude que consiste em não ser escravo dos desejos, mas de se pôr acima deles e viver com moderação" (68c); pois "cada sofrimento, cada prazer, tem, por assim dizer, um prego com o qual ele prende a alma ao corpo, torna-a semelhante a ele e a faz acreditar que nada é verdadeiro além do que o corpo lhe diz" (83d).

Sócrates volta igualmente ao tema dos renascimentos, da morte que nasce da vida, e da vida que nasce da morte, como "o sono nasce da vigília, e a vigília, do sono" (71d). Para Cebes, que manifesta algumas dúvidas, ele se apoia na tradição pitagórica e até mesmo órfica: "Uma tradição muito antiga diz que as almas, ao deixar este mundo, vão para os infernos, e que de lá voltam para este mundo e retornam à vida depois de terem passado pela morte. [...] Os vivos não nascem senão dos mortos" (70c-d). Para ele, "não se pode contradizer essas verdades" (72d). A modalidade dos renascimentos também não é fruto do acaso: "A das almas justas são melhores, e as más, piores" (72d), diz ele, antes de explicitar melhor seu propósito: "Se a alma se retira pura, sem nada conservar do corpo, como aquela que durante a vida não teve voluntariamente com ele nenhum comércio, mas, ao contrário, tendo-o sempre evitado, e sempre se recolhido em si mesma, meditando, quer dizer, filosofando e aprendendo efetivamente a morrer, ela vai para um ser semelhante a ela, divino, imortal, cheio de sabedoria, junto ao qual ela goza de felicidade, libertada de seus erros, de sua ignorância, de seus temores, de seus amores tirânicos, e de todos os outros males ligados à natureza humana" (81a-b). Em compensação, "se ela se retira do corpo, manchada, impura, como aquela que sempre se misturou com ele, ocupada em servi-lo, possuída por seu amor, enfeitiçada por ele a ponto de só considerar real apenas o que é corpóreo, o que se pode ver, tocar, beber, comer, ou o que serve aos prazeres do amor, ao passo que odiava, temia e fugia habitualmente de tudo o que é obscuro e invisível, de tudo o que é ininteligível e do qual apenas a filosofia possui o sentido, ela sai desorientada pelas manchas corporais que a relação contínua e a união por demais estreita que teve com ele, só preocupada com ele, tornaram naturais. Essas impurezas são um invólucro pesado, opressivo, terrestre e visível. A alma, carregada desse peso, é arrastada para este mundo visível pelo medo que ela tem do mundo invisível" (81b-c). E assim, "ela é privada do contato com a pureza e com a simplicidade divina" (83e). Ele cita até mesmo alguns exemplos precisos de reencarnações possíveis: "Aqueles que amaram somente a intemperança, sem nenhum pudor, sem nenhuma medida, entram possivelmente em corpos de asnos ou de outros animais semelhantes" (81e-82 a). Aqueles "que só amaram a injustiça, a tirania e as rapinas vão animar corpos de lobos, de falcões" (82a). Os justos, os temperantes, conhecerão um destino mais feliz em "corpos de animais pacíficos e doces" ou "em corpos humanos, para dar nascimento a homens de bem" (82a-b). Mas a proximidade *post mortem* com os deuses é oferecida apenas "ao verdadeiro filósofo", aquele que "renunciou a todos os desejos do corpo", "não se entrega às paixões", "não teme nem a ruína, nem a pobreza", e cuja alma "saiu do corpo com toda a sua pureza" (82c). Este "percebe de fato que a força do laço corporal consiste nas paixões que fazem com que a alma, acorrentada a si mesma, ajude a estreitar sua corrente". Ele sabe que seus sentidos "são cheios de ilusões" e só lhe dão acesso ao "sensível e ao visível", ao passo que somente sua alma "vê o que é invisível e inteligível". O que caracteriza esse filósofo é "trabalhar mais especialmente que os outros homens para separar sua alma do convívio com o corpo" (64e-65a). E ele não pode temer a morte que o torna "livre e liberto da loucura do corpo", apto para conhecer, enfim, "a pura essência das coisas" (67a-b).

Sócrates se diz cheio de esperança diante a morte. Ele diz mesmo que vai para ela "com grande volúpia" (68b), com esperança de nela encontrar "bons amigos e bons mestres" (69e). Em sua vida, não atuou sempre com esse fim, "controlando todas as suas paixões com perfeita tranquilidade, tendo sempre a razão por guia, sem jamais abandoná-la"? Por isso, depois da morte, sua alma será inelutavelmente "entregue ao que é da mesma natureza dela, liberta de todos os males que afligem a natureza humana" (84a-b). Faltando poucas horas para a sua morte, Sócrates se arrisca a descrever o além que o espera. Ele se refere ao próprio *daimon* para lembrar: "Dizem que, depois que um indivíduo morre, o gênio que o guiou durante a vida o conduz a um lugar onde todos os mortos estão reunidos para ali serem julgados, e depois vai para os infernos com o guia que os conduziu. Eles ali recebem os benefícios e os males que merecem, ali permanecem um tempo determinado, e outro guia os traz de volta a esta vida, depois de vários períodos de séculos." E ele continua: "A alma comedida e sábia acompanha obedientemente o guia, e não ignora a sorte que a espera. Mas aquela que está presa ao corpo por suas paixões, lá permanece longamente presa, e também a este mundo visível. Somente depois que ela resistiu e sofreu é que ela é arrastada à força pelo gênio que lhe foi destinado." Essa alma experimenta o sofrimento infernal, enquanto "aquela que passou a vida na temperança e na pureza" vai para junto dos deuses para conhecer "a beleza da terra pura que fica no meio do céu" (107c-108c; 110a). "O que acabo de vos dizer basta para vos convencer que é preciso fazer de tudo para conquistar a virtude e a sabedoria durante esta vida. Porque o prêmio do combate é belo, e a esperança é grande", acrescenta Sócrates, dirigindo-se aos discípulos (114c).

Porém, repentinamente, fica em dúvida. Ele já o demonstrara na *Apologia* por Platão: "Ninguém sabe o que é a morte" (29a). E afirma, agora no *Fédon*: "Se a morte fosse a dissolução de toda a existência, seria um grande ganho para os maus, depois da morte, serem libertados a um só tempo do corpo, da alma e dos vícios" (107c). Mas ele não é tão categórico na descrição do além: "Insistir em supor que acontece realmente como eu acabei de dizer seria uma pretensão indigna de um homem sensato" (114d). Ele usa da ironia, caçoando de si mesmo: "Desta vez, não será a assistência que eu buscarei persuadir de minha opinião, pelo menos não é meu principal objetivo, mas de preferência, convencer a mim mesmo. Pois faço esse raciocínio interessado: se o que digo é verdadeiro, é bom acreditar nisso; e se não houver nada depois da morte, eu sempre terei a vantagem de não cansar os outros com minhas lamentações durante o tempo que me resta a viver" (91a-b). E se sai com uma brincadeira: "Quanto a conhecer a resposta certa, não falta muito para eu ter certeza" (91b).

Sócrates mostra algo capital: para um filósofo, existem dois registros do saber — o saber propriamente racional (atualmente se diria científico) e um saber que pode ultrapassar a competência exclusiva da razão, por se originar também de outras esferas como as da fé, da intuição, do sentimento ou mesmo da tradição. No primeiro caso, poderíamos falar de "certezas". No segundo, falaríamos antes, como o fará Montaigne, de "íntimas convicções". Um filósofo adquire, unicamente pela força da razão, um saber que lhe dá certezas sobre si mesmo, sobre o homem e sobre o mundo; esse saber é universal. Ele adquire igualmente conhecimentos não exatos, porque parcialmente fundados na razão, e inspirados também por outras fontes, que se tornam íntimas convicções. Estas podem esclarecer e alimentar sua vida. Esse saber é verdadeiro para aquele que adere a ele sem que se trate de uma verdade universal. O ensinamento socrático sobre a imortalidade da alma provém especialmente desse segundo registro.

Ressurreição e vida eterna

Embora claramente estabelecida no pensamento grego e indiano, a questão da distinção da alma e do corpo está ausente do pensamente judeu, que fala da totalidade do ser. Portanto, Jesus nunca faz referência ao devir *post mortem* de um princípio espiritual separado do corpo, da "alma imortal" de Sócrates, ou do "Eu" indiano. O fato é que ele anuncia com veemência, ao longo de seu discurso, que existe uma vida após a morte, um além "deste mundo perecível", onde, simplesmente, os justos serão recompensados por suas boas ações, e os maus, punidos por seus erros. Essa crença na ressurreição dos mortos é bastante tardia no judaísmo, mas é certamente declarada no tempo de Jesus no meio farisaico que ele frequenta, ao passo que os saduceus, notáveis e sacerdotes que dirigem o Templo, não acreditam nela. (Mateus, 22:23; Atos, 23:8).

O sermão das Bem-aventuranças exprime de modo emocionante a justiça divina que retribui o justo depois de sua morte: "Bem-aventurados os pobres em espírito, porque deles é o Reino dos Céus. Bem-aventurados os mansos, porque herdarão a terra. Bem-aventurados os aflitos, porque serão consolados. Bem-aventurados os que têm fome e sede de justiça, porque serão saciados. Bem-aventurados os misericordiosos, porque alcançarão misericórdia. Bem-aventurados os puros de coração, porque verão a Deus. Bem-aventurados os que promovem a paz, porque serão chamados filhos de Deus. Bem-aventurados os perseguidos por causa da justiça, porque deles é o Reino dos Céus" (Mateus, 5:3-10). E a todos os que são odiados, excluídos, insultados, Jesus diz: "Alegrai-vos [...] e exultai, porque no céu será grande a vossa recompensa" (Lucas, 6:20-23).

A expressão "céu" ou "Reino dos Céus" designa o mundo invisível, esse "além" impossível de se localizar, onde os justos viverão "como anjos" (Mateus, 22:30) junto de Deus. É esse lugar misterioso e indefinível que a tradição cristã chamará de paraíso. Jesus utiliza outra expressão para falar desse mundo novo cuja vinda ele promete: o Reino de Deus. Mas essa expressão é mais ambígua e, de acordo com o contexto, pode designar o mundo atual, marcado pela presença de Jesus, o Reino dos Céus, ou ainda um mundo terreno renovado no fim dos tempos. Segundo o evangelista Marcos, esse é o primeiro tema que aparece em seu discurso: depois de seu batismo no Jordão por João Batista, depois da prisão deste, Jesus vai para o deserto, onde, durante quarenta dias, ele resiste às tentações de Satã. De volta à Galileia, ele anuncia: "Cumpriu-se o tempo, e o Reino de Deus está próximo" (Marcos, 1:15). A Palestina de sua época é, com efeito, atravessada por correntes apocalípticas que anunciam o fim dos tempos e que têm um número crescente de adeptos entre os judeus piedosos que esperam um Messias salvador. Em *Guerra dos Judeus*, bem como em

Antiguidades Judaicas, Flávio Josefo descreve e condena esses movimentos populares aos quais ele atribui a queda de Jerusalém. Jesus mantém-se muito evasivo sobre o Reino que ele anuncia. Ele insiste em sua iminência, mas, estranhamente, diz que "ninguém sabe quando virá". Esse reino de justiça é muitas vezes anunciado por um futuro vago: outras desgraças virão antes de seu advento, "fome e terremotos" que serão apenas "o princípio das dores", "traições e ódios internos", "falsos profetas surgirão", um "crescimento da impiedade". Somente então "este Evangelho do Reino será proclamado no mundo inteiro, como testemunho para todas as nações. E então virá o fim" (Mateus, 24:7-14). Nesse momento, "o sol escurecerá, a lua não dará sua claridade, as estrelas cairão do céu", e se verá "o Filho do homem voltar sobre nuvens com grande poder e glória", e Deus enviará os anjos e "reunirá seus eleitos" (Marcos, 13:24-27). Esse discurso apocalíptico — anúncio do fim dos tempos, da volta do Cristo e do Julgamento Final — está presente nos três Evangelhos sinóticos. Ele percorre também todo o livro do Apocalipse, texto de visões proféticas atribuído ao apóstolo João, que assim descreve a chegada da "Jerusalém celeste" depois dos grandes combates do fim dos tempos contra as forças do mal: "Vi então um céu novo e uma nova terra — pois o primeiro céu e a primeira terra se foram, e o mar já não existe. Vi também descer do Céu, ao lado de Deus, a Cidade Santa, uma Jerusalém nova, pronta como uma esposa quc sc enfeitou para seu marido. Nisto ouvi uma voz forte que, do trono, dizia: Eis a tenda de Deus com os homens. Ele habitará com eles; eles serão seu povo, e ele, Deus com eles, será o seu Deus. Ele enxugará toda lágrima de seus olhos, pois nunca mais haverá morte, nem luto, nem clamor, e nem dor haverá mais. Sim! As coisas antigas se foram!" (Apocalipse, 21:1-4).

No evangelista João, as expressões "Reino de Deus" ou "Reino dos Céus" são pouco presentes, mas a realidade de uma vida após a morte é afirmada com veemência. João fala habitualmente da "vida eterna" e da "ressurreição". Na conversa com o sábio Nicodemos, Jesus anuncia que não veio condenar os homens, mas lhes trazer a salvação eterna (João, 3:16-17). João conta em seguida que Jesus para depois da longa caminhada à beira do poço de Jacó, na Samaria. Vendo vir até ele uma mulher samaritana, ele lhe pede de beber. Inicia-se então uma conversa em torno da água, e Jesus afirma à mulher: "Aquele que bebe desta água terá sede novamente; mas quem beber da água que eu lhe darei, nunca mais terá sede. Pois a água que eu lhe der tornar-se-á nele uma fonte de água jorrando para a vida eterna" (João, 4:13-14). Depois de ter utilizado o símbolo da água, Jesus utiliza o símbolo do pão para falar da vida eterna que ele veio trazer aos homens: "Eu sou o pão vivo descido do céu. Quem comer deste pão viverá eternamente" (João, 6:51). E enquanto numerosos discípulos se afastam de Jesus, achando essas palavras "duras demais para se admitir", Simão Pedro lhe reafirma sua confiança em nome dos 12 apóstolos: "Senhor, a quem iremos? Tu tens palavras de vida eterna" (João, 6:68).

À expressão "vida eterna" associa-se "ressurreição". Jesus afirma claramente: "Sim, esta é a vontade de meu Pai: quem vê o Filho e nele crê tem a vida eterna, e eu o ressuscitarei no último dia" (João, 6:40), remetendo, assim, à temática do Julgamento Final. Mas a palavra mais forte atribuída a Jesus no que se refere à ressurreição dos mortos se situa no capítulo 11. Jesus toma conhecimento, pela boca de Marta, irmã de Lázaro, que seu amigo morreu. Ele anuncia: "Teu irmão ressuscitará." Marta lhe reafirma sua fé na ressurreição, quando do Julgamento Final, mas Jesus assim lhe fala: "Eu sou a ressurreição e a vida. Quem crê em mim, ainda que morra, viverá. E quem vive e crê em mim jamais morrerá" (João, 11:25-26). Em seguida, tocado pelas lágrimas de Maria, a outra irmã de Lázaro, e ele mesmo comovido com a morte do amigo, dá um sinal de seu poder divino, ressuscitando Lázaro fora do túmulo, ele que estava morto havia quatro dias "e já cheirava mal", segundo as palavras de Maria.

Depois de sua morte, como foi lembrado anteriormente, os discípulos afirmam ter visto Jesus ressuscitado. A Maria Madalena que se atira, perturbada, a seus pés, Jesus diz: "Não me toques, pois ainda não subi a meu Pai" (João, 20:17). Em consequência dessa ressurreição definitiva, Jesus é considerado pelos autores do Novo Testamento como "primeiro nascido dentre os mortos", e aquele por quem todos os homens ressuscitarão, uns para viver na alegria do Reino dos Céus, outros para conhecer os tormentos dos infernos. Nem assim a questão de uma condenação eterna é esclarecida nos escritos do Novo Testamento, já que alguns textos dão a entender que existe uma pena definitiva para um único pecado (o célebre pecado contra o Espírito Santo — Lucas, 12:10); outros, que o perdão de Deus sempre será mais forte que qualquer pecado cometido pelos homens. Segundo as palavras atribuídas a Jesus pelos evangelistas, compreende-se que, se a vida eterna é oferecida aos que se apoiam no Cristo e depositam sua fé nele, ela também diz respeito, de modo abrangente, a todos os homens e mulheres de boa vontade que souberam amar o próximo. (Mateus, 25).

Para além das divergências de apreciação entre o Buda, Sócrates e Jesus sobre o devir do ser humano após a morte, o ensinamento deles tende para o fato de que nossas ações presentes terão consequências numa existência futura. Tal perspectiva pode ter repercussões importantes na maneira de conceber nossas vidas, em nossas escolhas éticas, na percepção que temos de nós mesmos. A não ser que tenhamos fé, não podemos ter nenhuma certeza racional sobre a existência de um além ou de mundos invisíveis. Porém, como lembra com humor Sócrates, muito antes da aposta de Pascal, nada temos a perder vivendo de acordo com tal certeza. A menos, evidentemente, que ela paralise nossa vida aqui embaixo, que ela a encerre no medo ou no fatalismo, tornando-a mortífera. Mas certamente não foi assim que nossos sábios viveram.

12

Procura a verdade

"O que é a verdade?", pergunta Pilatos a Jesus. Essa pergunta soa ainda mais legítima aos nossos ouvidos pelo fato de estarmos frequentemente convencidos, como Pilatos, de que ela não tem uma resposta possível. No entanto, como aponta com pertinência André Comte-Sponville: "O fato de a pergunta ter sido feita pelo chefe de um exército de ocupação — exatamente antes de lavar as mãos enquanto crucificam um inocente — deveria nos incitar a uma atenção maior. Se não há verdade, ou se não podemos absolutamente conhecê-la, qual a diferença entre um culpado e um inocente, entre um julgamento e uma encenação, entre um justo e um escroque?"*

De fato, a busca da verdade está na base dos ensinamentos de Sócrates, de Jesus e do Buda. É fundamental para eles discernir o verdadeiro do falso, o bem do mal, o justo do injusto. Nenhuma existência boa pode se desenvolver sem esse discernimento prévio. E a busca deles não se limita

* Crônica em *Monde des religions* [Mundo das religiões], janeiro-fevereiro de 2009.

a procurar uma verdade factual, particular, mas se estende também à busca de uma verdade universal, válida para qualquer indivíduo. Tal busca se tornou possível para Sócrates porque ele está convencido de que todos os seres humanos são dotados da mesma razão humana. O Buda também crê na universalidade do espírito: o que ele descobriu pela introspecção, cada um pode descobrir por sua vez. Quanto a Jesus, ele afirma a existência de uma verdade absoluta de onde procedem outras verdades universais: Deus.

Discernimento e maiêutica socrática

Ao longo de seus diálogos, Sócrates repete não ter "nenhuma sabedoria, nem pequena, nem grande" (*Apologia*, 21b), mesmo que Apolo, por intermédio do oráculo de Delfos, o tenha decretado o mais sábio dos homens. Ele afirma com prazer não deter conhecimento algum: "Sei que nada sei." Ora, embora se apresente intelectualmente tão desprovido, sua ambição é grande: ele está em busca da verdade que se pode alcançar pelo conhecimento. Não pelo conhecimento das leis físicas ou matemáticas, nem das questões metafísicas que ultrapassam as capacidades da razão, mas do único conhecimento que tem valor aos seus olhos: o do homem. Eu diria até, mais especificamente, da conduta humana, quer dizer, da moral. O "verdadeiro" por oposição ao erro, o "bem" por oposição ao mal, ocupam de fato, para ele, lugar de verdade universal. Uma verdade que se impõe por si mesma, que autoridade ou maioria alguma podem abalar: "O que é verdadeiro jamais pode ser refutado", diz ele a Polos no *Górgias*, cuja tese ele desafia a demonstrar ao final do debate sobre a justiça (473b). Porque o que é verdadeiro se prova: a verdade é o fruto de um esforço da razão, de uma certeza racional que se forja quando um indivíduo aceita mergulhar na sua natureza profunda, "conhecer a si mesmo", e se eleva acima de seus *a priori*, de suas emoções, de seus medos, de suas paixões, em resumo, de tudo o que pode perturbá-lo e que é fonte de ilusão. É então que ele pode tocar o "verdadeiro": a verdadeira justiça, a verdadeira beleza, a verdadeira bondade, a verdadeira coragem. Tantas noções a um só tempo complexas e simples, porque são muito puras, mesmo que sejam difíceis de definir. De fato, em muitas ocasiões, nos diálogos socráticos, se reproduz o episódio do *Laques* quando o filósofo, Nícias e Laques inutilmente buscam uma definição estrita de coragem. Com um de seus interlocutores, Sócrates conseguirá dizer o que a coragem não é, refutando as definições que lhe são habitualmente dadas (a intrepidez, a audácia...); mas ele admitirá: "Não descobrimos, Nícias, o que é a coragem" (199e).

Então, como reconhecer o "verdadeiro"? Como "compreender a essência e a natureza" das coisas? (*Teeteto*, 148d). Para Sócrates, a verdade, o conhecimento da verdadeira natureza das coisas, está escondida no fundo de nós. "A igualdade absoluta, a beleza absoluta, a bondade absoluta, e toda existência essencial", para retomar sua enumeração no *Fédon*, são "essências" "puras e simples" (78d), gravadas em nós antes mesmo de nosso nascimento, mas que esquecemos ao nascer. De algum modo, Sócrates não nos convida a descobri-las, mas a redescobri-las, porque "nossa ciência são apenas reminiscências" (*Fédon*, 72e), lembrança de uma passagem da alma por um mundo superior antes de sua encarnação terrena. Ele não duvida da existência delas em estado puro: "Se essas coisas não existem, todos os nossos discursos são inúteis", diz ele aos discípulos reunidos à sua volta enquanto se prepara para tomar o veneno ao qual o condenou a justiça ateniense (*Fédon,* 76e). Esse conhecimento, diz ele ainda no *Teeteto,* está em cada um de nós sob forma de embriões, que estão prontos para eclodir se forem ajudados. Assim, os jovens que "no início, alguns deles parecem completamente ignorantes", quando praticam com ele, e que, "se o deus permite", realizam "progressos maravilhosos". Outros, "sob a influência de maus mestres, abortaram todos os embriões que carregavam, e alimentaram mal aqueles cujo parto eu havia feito, deixando-os perecer, dando mais importância às mentiras e às vãs aparências do que à verdade" (150d-e). Foi esse, aliás, o motivo de seu rompimento com os sofistas, mestres da palavra que ensinavam aos alunos a arte de discorrer de tal modo que eles se mostrassem capazes de defender, com a mesma força de persuasão e o mesmo vigor, uma opinião e seu contrário. Essa arte retórica teve algum sucesso no seio de uma democracia ateniense que, na época de Sócrates, tinha levado a arte do discurso a seu apogeu, com risco de demagogia. Sócrates pretende combater esse relativismo não apenas porque é fútil, mas, sobretudo, porque é nocivo à alma. Porque considerar toda verdade como relativa resulta em renunciar ao que, para ele, constitui o objetivo da busca filosófica, a saber, exatamente a procura da verdade.

Quando Sócrates submete seus interlocutores ao fogo de suas perguntas para alcançar a verdade, ele os leva a filosofar, ou seja, a exercer o discernimento. Pois, segundo ele, é a única via de acesso ao conhecimento. E quando ele interroga o homem da rua, o artesão, o general ou o orador, ele exercita com eles a maiêutica. O que é que eles parem? A eles mesmos. E, além deles mesmos, a natureza profunda, a essência deles mesmos, para além da individualidade. Por intermédio do homem singular, é a humanidade do homem que ele quer alcançar o que constitui a especificidade da natureza humana: "Procuro saber se sou um animal mais complicado e mais cruel que Tífon, ou um animal mais doce e simples, cuja natureza é clara e participa do divino", diz ele (*Fedro,* 230). Pois, se o verdadeiro é universal, é primeiramente porque a natureza humana, na parcela que ela contém de divino, é ela mesma universal. Ora, prisioneiros do visível, os homens não são capazes de ver de imediato a verdade. Só percebem inicialmente um reflexo deformado dela.

Para ilustrar a busca socrática da verdade, Platão recorre ao célebre "mito da caverna".* Os homens, diz o mito, estão desde o nascimento acorrentados numa caverna, com a cabeça virada de tal modo que não conseguem ver a entrada, aberta à luz, nem o fogo que os ilumina e que é separado deles por pequeno muro, "semelhante aos tapumes que os manipuladores de marionetes armam diante deles, sobre os quais exibem seus prestígios" (514b). Atrás desse muro passam carregadores que, por vezes, falam e transportam estátuas das quais os prisioneiros podem ver a sombra projetada na parede da caverna que está diante deles, bem como a própria sombra e a de seus companheiros. Para eles, que nunca viram nada além disso, todas as sombras, as deles e as dos objetos fabricados, são a realidade. Platão imagina que um desses prisioneiros é um dia "libertado de suas correntes" e, a partir daí, olhando para a luz, pode "ser curado de sua ignorância" (515c). No entanto, a luz, que ele vê pela primeira vez, o ofusca a tal ponto que ele não distingue mais as sombras na parede. "O que pensas tu que ele responderá a quem lhe diga que até então ele vira apenas vãos fantasmas, mas que agora, virado para os objetos mais reais, ele vê com mais

* *A República*, livro VII.

justeza? Se, enfim, mostrando-lhe cada um dos objetos que desfilam, o forçassem com perguntas a dizer o que é?" (515d). Parece evidente que ele terá dificuldade em qualificar como "verdadeiras" as coisas reais, e como "falsas" as sombras que ele sempre conheceu. Ele sofrerá até mesmo com a visão da luz do sol. Somente com o tempo seus olhos conseguirão progressivamente acomodar-se à luz e contemplar as coisas tais como são. Ele verá o sol, compreenderá que este comanda as estações e os anos, que ele é "a causa de tudo o que ele e seus companheiros viam na caverna" (516c). E ele lamentaria estes que, na caverna, concedem honras e elogios aos que reconhecem as sombras, ou adivinham mais rapidamente sua passagem: "Ele preferiria mil vezes ser apenas um servo do arado a serviço de um pobre lavrador, suportar todos os sofrimentos do mundo, a voltar para suas antigas ilusões e viver como vivia" (516d).

O que fará se tiver, contudo, de voltar para a caverna e retomar sua vida de acorrentado? Ainda ofuscado pela luz, terá dificuldade em se acostumar à escuridão. Seus companheiros caçoarão dele, de seus erros. Certamente eles se recusarão a viver a mesma experiência. "E se alguém tentasse soltá-los e conduzi-los para cima, e pudessem matá-lo, não o matariam?" (517). Sócrates, que aqui se exprime pela escrita de Platão, não foi de fato condenado à morte por ter tentado libertar seus concidadãos das correntes da ignorância? Parece evidente que a luz de que trata o mito da caverna não simboliza nada mais que a verdade buscada por Sócrates, e que aquele que volta para dar provas de sua existência não é outro senão o filósofo-guia, aquele que, tendo já percorrido esse difícil caminho, pode arrancar os homens de suas trevas.

Porque é quase impossível ao comum dos mortais lembrar-se sozinho do que sabia antes de nascer, e que permanece escondido dentro dele, "sem jamais receber a menor alteração, nem a menor mudança" (*Fédon*, 78d). Apenas o diálogo com um bom mestre o guiará nessa via para fazê-lo "parir" essa verdade em si: é justamente o princípio da maiêutica que várias vezes lembramos. "É preciso ser dois para procurar juntos, para ver juntos se o discurso estabelecido e os argumentos que se respondem — *dia logos* — vão conduzir ao termo os dois que procuram. A única condição é acreditar, tanto um quanto o outro, na virtude do discurso, da razão", sublinha com propriedade André-Jean Festugière.* Os discípulos de Sócrates tinham consciência disso. Donde o desespero deles, no momento em que ele jaz no que, algumas horas mais tarde, seria seu leito de morte: "Mas Sócrates, onde encontraremos um bom mago, já que tu vais nos deixar? E Sócrates lhes responde com esta inesquecível resposta, da qual ainda hoje podemos nos apropriar: "A Grécia é grande, e nela se encontram muitas pessoas capazes. E existem muitos países estrangeiros: é preciso percorrê-los todos, e interrogá-los para encontrar esse mago, sem poupar nem trabalho, nem despesa. Não há nada com o que empregar vossa riqueza com maior proveito. Além disso, é necessário que procureis entre vós. Porque talvez não encontreis ninguém capaz de realizar esses encantamentos que não vós mesmos" (*Fédon*, 78a).

As "quatro nobres verdades" e a meditação budista

Quando deixa o palácio real, Sidarta está em busca de uma verdade para além das aparências que ele percebeu serem enganosas. Como Sócrates, ele vai proceder por ten-

* André-Jean Festugière, *Socrate* [Sócrates], La Table Ronde, 2001, p. 92.

tativas. Um convive com os que são considerados sábios, em Atenas; mas, de fato, descobrirá a pobreza deles em matéria de sabedoria. O outro convive sucessivamente com vários ascetas dentre os mais conceituados, e toma consciência da vacuidade de suas práticas extremas. Contudo, tanto um quanto o outro têm a intuição, eu diria mesmo a íntima convicção, da existência de uma verdade universal que diz respeito a todos os seres e, sobretudo, que é acessível a todos. Tanto um quanto o outro procuram. Um e outro a procuram com todo o coração. Mas enquanto Sócrates utiliza a razão como instrumento, apoiando-se na introspecção, o Buda prefere unicamente a experiência interior: não se trata de descobrir intelectualmente a verdade, de procurá-la pelo raciocínio, mas de deduzi-la de sua experiência íntima. Aliás, ele vê com certa suspeita o caminho do intelecto e da pura especulação. Em um de seus célebres sermões, o sutra *Brahma Jala*, ele utiliza palavras muito duras para com aqueles que se confinam na teoria em detrimento da experiência, qualificando-os de "ascetas fechados na lógica e no raciocínio", que "constroem verdades sofisticadas", mas infundadas (2, 13). Para ele, se existe uma resposta para o enigma da existência, só pode ser uma solução concreta. Um caminho que permite que nos salvemos do samsara, os renascimentos aos quais os seres são condenados. Um caminho que leva à iluminação e ao conhecimento último da verdadeira natureza das coisas.

Sidarta parte de sua própria natureza para explorar em si mesmo os mecanismos do sofrimento, desmontá-los, compreendê-los. Ele vai observar suas paixões, suas emoções, vai passar longas horas em meditação, provavelmente em autoanálise — mesmo que os textos não o digam desse modo. Desinteressando-se da metafísica, de suas questões insolúveis para a mente humana, ele dedica todos os seus esforços à procura do que se poderia chamar de "método" de libertação, assim descrevendo sua ação: "Da mesma forma que a chuva penetra numa casa de telhado malcuidado, o desejo penetra num espírito mal-exercitado. Assim como a chuva não penetra numa casa de telhado bem-cuidado, o desejo não penetra num espírito bem-exercitado" (*Dhammapada*, 1, 13-14). Ele constata que "quando a verdadeira natureza das coisas se torna clara para o ardente, o meditador, todas as suas dúvidas desaparecem porque ele percebe que natureza é essa, e qual é sua causa" (*Vinaya Mahavagga*, 1, 3). Ele mesmo medita até conseguir o Despertar. Então a verdade se impõe a ele: ele percebe que tudo é impermanente, e que essa impermanência que alimenta o desejo é a principal causa do sofrimento. Vemos, então, até onde, na prática do budismo, a ação do desprendimento está ligada à busca da verdade, e que é progredindo no desprendimento, até mesmo na extirpação do eu, dos desejos e das ilusões inerentes ao ego, que progredimos na verdade.

O sermão sobre as "quatro nobres verdades", que ele libera depois de seu Despertar, resume o essencial de sua doutrina. Mais tarde, ele continuará a explicitá-la e a ilustrá-la. Ao oferecê-la aos primeiros ouvintes, ele põe em movimento a "roda da Lei" — em sânscrito, o dharma —, que significa a ordem universal imutável, mas também a doutrina ensinada pelo Buda, revelando a verdade última das coisas e a realidade da condição humana. Antes de expô-las, observemos rapidamente que a expressão "quatro nobres verdades" não é uma tradução literal do páli *cattari ariya saccani* (*catvari arya satyani* em sânscrito): *ariya*, que significa "nobre", não se aplica, de fato, às verdades em si mesmas, mas à pessoa que as recebe e as compreende. Portanto, a expressão exata seria "as quatro verdades dos nobres" — subentendendo-se: dos indivíduos espiritualmente nobres.

O Despertado inicia, assim, seu mais célebre sermão: "Um monge deve evitar dois extremos. Quais? Apegar-se aos prazeres dos sentidos, o que é baixo, vulgar, terrestre, ignóbil, e gera más consequências, e se entregar a mortificações, o que é doloroso, ignóbil, e gera más consequências. Evitando esses dois extremos, ó monges, o Buda descobriu o caminho do meio que dá a visão, o conhecimento, que conduz à paz, à sabedoria, ao despertar, ao nirvana." Em seguida, ele enuncia essas verdades em quatro frases precisas, cujo núcleo é a noção de *dhukka*, traduzida por "sofrimento", e que designa, como dito, toda uma gama de dores psicológicas e filosóficas. A vida é *dhukka*, diz o Buda. A origem da *dhukka* é a seda, quer dizer, o desejo. Existe um meio de suprimir a *dhukka*: esse meio é o caminho dos oito elementos justos. Cada uma dessas afirmações merece ser explicada para que se percebam suas sutilezas e seu alcance. A análise do Buda pode, aliás, ler-se como uma metáfora médica, pois, como lembrava André Bareau, o budismo tem, antes de tudo, uma visão terapêutica.

A vida é sofrimento: é a primeira constatação que o Buda estabelece. Tal como um médico da alma humana, ele apresenta o diagnóstico e divide esse sofrimento em sete categorias que balizam e englobam toda experiência de vida: o nascimento é sofrimento, a velhice é sofrimento, a morte é sofrimento, estar unido ao que não se ama é sofrimento, estar separado do que se ama é sofrimento, não ter o que se deseja é sofrimento, os cinco conjuntos do apego são sofrimento. Em outras palavras, tudo é sofrimento, e é ilusório querer encontrar na vida uma felicidade permanente. Essa constatação tem o propósito de ser objetiva e lúcida. Não se trata de pessimismo existencial, mas da primeira etapa do caminho da libertação. Ao reconhecer esse princípio primeiro, o indivíduo dá o primeiro passo no caminho da cura.

E o Buda prossegue em seu diagnóstico: a origem do sofrimento é a sede. A sede insaciável do prazer dos sentidos e da própria existência. Mas imediatamente ele afirma que existe um remédio para o sofrimento: "É a cessação completa dessa sede, abandonando-a, renunciando a ela, libertando-se dela, desembaraçando-se dela." Evidentemente, isso não significa o fim objetivo da velhice, da doença, das desgraças, da morte, mas a capacidade que o indivíduo pode adquirir de observá-las como elementos externos que não são mais fonte de violência emocional. Não se trata de negá-los, mas de se afastar deles com distanciamento salutar de si para si.

Finalmente, o Buda apresenta a receita que deve oferecer ao ser humano a cura definitiva: "A quarta verdade é o caminho que conduz à cessação da *dhukka*", quer dizer, ao nirvana — um "caminho óctuplo" que assim ele define: "A compreensão justa, o pensamento justo, a palavra justa, a ação justa, o meio de existência justo, o esforço justo, a atenção justa e a concentração justa." Ao reiterar o termo "justo", o Buda define o que se chama "caminho do meio". A tradição distribui esses oito elementos em três disciplinas: a conduta ética, a disciplina mental e a sabedoria. E o Buda assim termina seu sermão: "Alcancei o incomparável e supremo conhecimento. O conhecimento profundo elevou-se em mim. Inquebrantável é a libertação de meu pensamento. Este é meu último nascimento; não haverá outra existência."

O Buda fez da meditação a via de acesso privilegiada ao conhecimento da verdadeira natureza das coisas e ao nirvana. Num longo discurso aos seus discípulos, o sutra *Satipatthana*, que se pode traduzir como "estabelecimento da atenção", ele afirma no preâmbulo, e de modo muito firme, a primazia desse caminho: "Só existe um caminho, ó monges, que leva à purificação dos seres, à vitória sobre as dores e sofrimentos, à destruição da dor, à conquista da conduta justa, à realização do nirvana: são os quatro fundamentos da atenção." Essa meditação não é — é preciso que se diga de imediato — uma reflexão intelectual em torno de um assunto ou tema dado. Ela também não é um método de relaxamento, nem um parêntese de "vazio" numa vida ativa. Ela é, segundo a descrição feita pelo Buda, o estabelecimento de uma condição do espírito, uma maneira de "acalmá-lo" diante das perturbações exteriores e interiores. Ela não consiste em expulsar da mente os pensamentos que brotam, mas em observá-los com desapego, num estado de calma mental (*samatha*), para ir além de suas aparências e assim ter diretamente a visão profunda (*vipassana*) de tudo o que existe. Trata-se de apreender, ou melhor, de experimentar no mais profundo de si, a não permanência de todas as coisas e de todas as sensações. Ele a chama de *bhavana*, literalmente, "fazer nascer" ou "desenvolver" — desenvolver o espírito de calma que, anulando os apegos e as ilusões criadas pela mente, conduz finalmente à libertação do ser.

É uma prática simples, mas muito exigente, ao alcance de todos, mas semeada de dificuldades. Nos "Versículos sobre a atenção", que constituem o segundo capítulo do *Dhammapada*,* o Buda oferece aos discípulos conselhos sobre o modo de meditar, quer dizer, de absorver, no que ele chama de "atenção plenamente consciente", o "caminho da imortalidade" (2, 23). Ele lhes lembra a necessidade de permanecer "cheio de atenção e de energia, generoso e cir-

* Coletânea de aforismos classificados por temas.

cunspecto, disciplinado, vigilante e reto" (2, 26), indicando ainda: "Não cedais à não atenção, não vos abandoneis aos prazeres dos sentidos. Meditai com vigilância; descobrireis uma felicidade imensa" (2, 29). E promete: "O monge que cultiva a atenção e teme a falta de atenção não poderá mais regressar. Ele quase atingiu a porta da libertação" (2, 33). Em outro capítulo do *Dhammapada,* dedicado ao "pensamento", o Buda acrescenta: "É preciso domar o pensamento, mesmo que ele seja rebelde e impreciso, e caminhe para onde ele quiser. Quando vós o domais, ele vos leva à felicidade" (3, 37).

O sutra *Satipatthana*, citado anteriormente, descreve de modo técnico e preciso os quatro mecanismos que conduzem ao estabelecimento da atenção profunda do meditador. Esses quatro mecanismos concernem quatro esferas: o corpo, as sensações, o espírito e os objetos mentais. Sem entrar nos detalhes desse sutra, seria útil esboçar suas grandes linhas. No que diz respeito à atenção ao corpo, o Buda insiste inicialmente na respiração. O meditador começa a inspirar e expirar; em seguida, tomando consciência da inspiração e da expiração, contempla a respiração, sente-a no corpo. "A consciência do corpo se estabelece nele" (1, 1). Depois, toma consciência da posição do corpo tal com está: "Assim, ele permanece livre, não se prendendo a nada no mundo" (1, 2), até abordar a terceira etapa, que é a contemplação e a clara compreensão do que o cerca diretamente (a roupa, a tigela...). Finalmente, ele examina o corpo, "da planta dos pés ao alto da cabeça, coberto de pele e cheio de coisas repugnantes" (1, 4); e ele toma plena consciência de que o corpo é "da mesma natureza de um cadáver" e de que "não será poupado" (1, 6). O mesmo procedimento de atenção consciente se aplica às sensações: não se trata, insiste o Buda, de aceitar as sensações agradáveis e rejeitar as sensações desagradáveis, mas simplesmente de tomar consciência delas, e contemplá-las "interna e externamente" (2). O mesmo acontece com a contemplação do espírito, quer dizer, dos desejos, das paixões, das ilusões, da dispersão: o meditador "permanece contemplando o aparecimento e o desaparecimento dos fenômenos do espírito. Assim, ele permanece livre, sem se prender a nada no mundo" (3). A última etapa é a da contemplação dos objetos mentais: os desejos dos sentidos, a malevolência, a teimosia, o remorso, a dúvida (que são os cinco obstáculos), bem como as formas, as sensações, os odores, os sabores, os sons. Ao término desse percurso, o meditador, diz o sutra, pode finalmente apreender as quatro nobres verdades. Um percurso que pode, segundo as capacidades e motivações de cada um, realizar-se em alguns anos, assim como também pode levar uma vida inteira... ou até mesmo várias!

Jesus: revelar a verdade e dar testemunho dela

"Para isto nasci e para isto vim ao mundo: para dar testemunho da verdade", afirma Jesus diante do governador romano Pôncio Pilatos, que se prepara para condená-lo à morte (João, 18:37). Do mesmo modo que Buda e Sócrates, Jesus está convencido da existência de uma verdade última em oposição a um mundo de ilusões, uma verdade que pode ser recebida por todos os indivíduos desde que ele se dê o trabalho de ir até ela. Porém, contrariamente a Sócrates, Jesus não afirma ter descoberto essa verdade pelo raciocínio, como também não pretende transmiti-la por um ensinamento racional. Também contrariamente ao Buda, ele não pretende ter descoberto essa verdade por meio de longa prática introspectiva, e não acredita que ela possa ser obtida por técnicas de meditação. Nisso sua atitude é radicalmente diferente de nossos dois mestres.

Na verdade, Jesus afirma ter a missão de revelação. Sua abordagem da verdade é, nesse sentido, de ordem inteiramente diversa. Ele vem revelar a verdade última — Deus — porque ele vem de Deus e foi enviado por ele ao mundo. Jesus não traz um conhecimento racional de Deus, ou provas filosóficas de sua existência. Ele o "revela", ele dá testemunho dele por sua própria presença. "Ninguém jamais viu a Deus", lembra João no fim do prólogo de seu Evangelho. "O Filho único, que está voltado para o seio do Pai, o deu a conhecer" (João, 1:18). Aos ouvintes que se surpreendem com seus conhecimentos e com a autoridade com que ele ensina, embora não tenha estudado, Jesus responde: "Minha doutrina não é minha, mas daquele que me enviou" (João, 7:16). Ele se apresenta sempre como o "enviado de Deus" que veio ensinar aos homens, que, em verdade, ele é seu "Filho único", o "Cristo-Messias". E Jesus não deixa de repetir ao longo do quarto Evangelho: "É verdadeiro aquele que me enviou, e que não conheceis. Eu, porém, o conheço porque dele procedo, e foi ele quem me enviou" (João, 7:28-29). Jesus veio, pois, revelar a verdade última. Uma revelação que tem duas faces: um ensinamento didático e seu próprio testemunho. Do mesmo modo que "diz" a verdade, que revela Deus, Jesus "dá testemunho" por sua vida e por seus atos da verdade que anuncia. É sem dúvida o que explica, a um só tempo, o indubitável impacto emocional e o valor pedagógico dos Evangelhos.

Qual é a verdade última que Jesus pretende revelar? Ela está contida em três palavras: Deus é amor. Com a vivência de 2 mil anos de cultura cristã, essas palavras podem parecer banais. Porém, na época de Jesus, elas eram revolucionárias. Não porque o amor e a misericórdia divinas estejam ausentes da Bíblia, mas porque Jesus não faz do amor divino um atributo entre outros — do mesmo modo que a unicidade, a justiça, o poder, a onisciência: ele é o nome próprio de Deus, sua "essência", por assim dizer. A partir daí, tudo deve ser medido, apreciado, discernido, segundo o amor. É a razão pela qual Jesus inicia sua prédica criticando vivamente — para não dizer ferozmente — os doutores da Lei. A verdade não reside, diz ele, no formalismo da Lei, no respeito inatacável pelas regras de pureza, ou nas do sábado. Aliás, ele mesmo as transgride quando isso lhe parece necessário, continuando a ser um judeu praticante que usa roupas com franjas (Marcos, 6:56), frequenta as sinagogas para se dirigir ao povo e vai ao Templo para a Páscoa. Ele vê no legalismo uma rigidez absurda e estéril: de que serve a aplicação mecânica das regras editadas pelos Antigos quando a dimensão essencial, ou seja, o *ágape*, ou amor de Deus, é afastado e esquecido? A Lei sem amor de nada vale porque, originalmente, essa Lei foi editada como uma pedagogia do amor. Jesus se dedica, portanto, a restituir seu sentido verdadeiro à Lei divina transmitida por Moisés, criticando a interpretação por demais estreita que os doutores dela fizeram. Dessa forma, ele proclama a nova Lei, a do amor ao próximo, recusando, por exemplo, o tradicional "olho por olho, dente por dente" (Êxodo, 21:24), para pregar o amor até mesmo pelos inimigos ou por aqueles que nos fizeram mal (Mateus, 5:38-40).

O leitor dos Evangelhos fica tão sensibilizado pelas palavras de Jesus quanto por seus gestos que são como testemunhos vivos de seu ensinamento. Assim, à sua ordem: "Não julgueis" (Mateus, 7:1) repercute no episódio da mulher apanhada em flagrante delito de adultério, e que a multidão quer apedrejar, conforme a Lei. Jesus se recusa a condená-la e proclama, depois de longo silêncio: "Quem dentre vós estiver sem pecado, seja o primeiro a lhe atirar uma pedra" (João, 8:7).

Contrariamente a Sócrates e ao Buda, Jesus se coloca no coração da verdade: enquanto seus dois predecessores mostram um caminho, Jesus se apresenta como sendo ele mesmo o caminho. Ele é enviado por Deus com a missão de salvar os homens: "Deus amou tanto o mundo, que lhe deu seu Filho único, para que todo o que nele crê não pereça, mas tenha vida eterna" (João, 3:16). Enquanto o Buda, mestre de sabedoria, põe sua pessoa em segundo plano, atrás de sua experiência e de sua doutrina, enquanto ele afirma várias vezes: "Sede ilhas para vós mesmos, refúgios para vós mesmos, e não procureis nenhum refúgio exterior" (*Mahaparinirvana sutra*, 2, 33), Jesus exige fé e apego total à sua própria pessoa. O mensageiro se confunde com a mensagem, ele é seu próprio centro: "Eu sou o Caminho, a Verdade e a Vida: ninguém vem ao Pai a não ser por mim" (João, 14:6). E, na véspera de sua morte, quando fala aos discípulos sobre sua partida deste mundo, Jesus lhes anuncia que lhes enviará seu Espírito para continuar a iluminá-los e a instruí-los: "O Espírito da Verdade vos conduzirá à verdade plena" (João, 16:13).

Nessas condições, o que significa para Jesus "procurar a verdade"? De modo relativo, é dedicar-se a discernir o verdadeiro do falso. De modo absoluto, é procurá-lo e, por intermédio dele, experimentar o Deus Amor.

13

Procura a ti mesmo e liberta-te

A busca da verdade leva à verdadeira liberdade: liberdade do indivíduo que se emancipa da tradição, da autoridade, ou das opiniões dominantes da sociedade; mas também, e sobretudo, à liberdade interior do ser humano que aprende, graças a essa verdade, a se conhecer e a se dominar.

Uma libertação do indivíduo

Cada um a seu modo, Sócrates, Jesus e o Buda procuraram emancipar o indivíduo do grupo. Para compreender de forma correta o alcance de seus ensinamentos, que atualmente pode nos parecer tão natural, é preciso ter em mente que os três viviam num mundo tradicional onde cada indivíduo era submetido ao grupo. O bem pessoal contava menos que o da coletividade à qual pertencia, e era impensável que um indivíduo questionasse a autoridade da tradição. Assim funcionam ainda hoje as chamadas sociedades tradicionais. Sócrates e Jesus são os instigadores da autonomia do indivíduo em relação ao grupo, sinal distintivo das sociedades ocidentais.

Contudo, será preciso esperar pela chegada do século das Luzes para que essa autonomia, tão profundamente ancorada em nossa cultura, seja legitimada.

Como veremos, o Buda também pregou a liberdade de escolha do indivíduo e tentou retirar-lhe o peso do coletivo. Mas na Ásia, seus esforços, a longo prazo, não tiveram os mesmos efeitos que os de Sócrates e os de Jesus no Ocidente. Porque, se seu pensamento foi divulgado por toda a parte, o sentimento de pertencimento ao grupo continuou primordial. O fato é que ele sugeriu um caminho de libertação individual, e essa atitude constituiu um avanço decisivo na direção de uma tomada de consciência, em cada indivíduo, da necessidade de uma busca de salvação pessoal.

Foi com uma atitude espetacular — abandonar o suntuoso palácio do pai e abrir mão dos privilégios de sua classe para reunir-se aos ascetas mendicantes da floresta — que o Buda assinou sua emancipação da autoridade paterna. Desse modo, ele demonstra que não há nada mais importante para cada ser humano que escolher seu caminho. É para essa liberdade que ele atrai aqueles que se aproximam dele, chamando-os a decidir por si mesmos se eles querem segui-lo como leigos, ou — condição bem mais restritiva — como monges. O "método" que conduz à iluminação não pode, de fato, ser um caminho individual: o Despertar não se alcança pelo exercício cego de ritos religiosos ou de sacrifícios aos deuses, mas por um "óctuplo caminho", cujos oito elementos podem se resumir na aplicação de uma moral (*sila*) justa, de uma meditação (*samadhi*) justa, de uma sabedoria (*panna*) justa.

Uma história tirada da vida do Buda ilustra esse processo. Um dia, quando ele segurava a tigela de esmolas, o

Buda vê um jovem realizando um curioso ritual: inteiramente molhado, ele se curva sucessivamente nas seis direções — os quatro pontos cardeais, o céu e a terra. O Buda o interroga sobre o sentido desse ritual. Sigala (assim se chamava o jovem) revela que, antes de morrer, seu pai teve tempo apenas de lhe recomendar seguir esse ritual todas as manhãs. "Tens razão em obedecer à recomendação de teu pai, mas talvez ele não tenha tido tempo de, antes de morrer, explicá-lo inteiramente para ti", diz o Buda, que então lhe entrega o *Sigalovada sutta*, ou sermão de Sigala, o mais longo de seus sermões dedicados à moral leiga, e que começa assim: "As seis direções devem ser veneradas de acordo com o espírito do Nobre Caminho." O Buda ensina então a Sigala as regras a que cada um deve se conformar para se aperfeiçoar nesse caminho, os vícios a erradicar, tais como o crime e a mentira, a conduta a seguir diante dos pais, dos mestres e dos amigos. Ele lhe indica, especialmente, que a verdadeira espiritualidade não consiste em realizar ritos recebidos da tradição, mas em transformar a si mesmo.

É exatamente a mesma linha seguida e pregada por Sócrates. Ele jamais obrigou os discípulos a evitar os ritos religiosos, notadamente os da cidade, e sempre lhes explicou que o mais importante para cada indivíduo consistia em conquistar a virtude e se tornar moralmente bom. Do mesmo modo que o Buda, ele ressalta os exercícios espirituais que todos devem praticar para chegar à perfeição da alma. Aos juízes que querem condená-lo à morte por impiedade, ele lembra: "Não desejei outra ocupação a não ser prestar a cada um de vós o maior serviço, exortando-vos individualmente a não pensar no que vos pertence acidentalmente, mas antes no que constitui vossa essência, e em tudo o que vos pode tornar virtuosos e sábios" (*Apologia* de Platão, 36c). Não se poderia melhor resumir a atitude essencial que é o núcleo do pensamento socrático: Sócrates se dirige a cada indivíduo, apostando que cada um pode se aperfeiçoar, tornar-se virtuoso e sábio. Porque, para ele, o caminho da virtude e da sabedoria é, como acabamos de ver, o do conhecimento. Sócrates está convencido de que um homem esclarecido, um homem que "conhece a si mesmo", não pode escolher mal. E esse conhecimento salutar é fruto da razão: "Não é de hoje que tenho por princípio ouvir em mim somente a voz da razão", diz ele a Críton, quando este vai procurá-lo na prisão para lhe propor fugir (*Críton*, 46b). Como ressalta André-Jean Festugière: "Sócrates é o pai da autonomia. É a partir de Sócrates que o sábio terá como primeiro dever ser sua própria lei, de só agir segundo a razão. O sábio se basta. Antes de ser cidadão, ele é homem."*

A liberdade que Sócrates oferece é, todavia, um caminho árduo e exigente. Diante das certezas tão tranquilizadoras que a lei e a moral do grupo oferecem, ele não sugere outras certezas "prontas", mas fundamenta, ao contrário, o que eu chamaria de "escola da dúvida". Por seus questionamentos, ele enfraquece as certezas adquiridas. Por sua ironia, ele consegue convencer aqueles que acreditam saber que, na verdade, nada sabem. Mas, ao mesmo tempo, ele mostra que eles têm dentro de si mesmos os meios para conhecer; e para alcançar esse saber escondido, é preciso que eles se voltem para si mesmos.

Jesus chama seus discípulos para o mesmo movimento: "O Reino de Deus está no meio de vós" (Lucas, 17:21).** Ele

* André-Jean Festugière, *Socrate* [Sócrates], *op. cit.* p. 127.

** Geralmente, essa frase se traduz como "O Reino de Deus está no meio de vós", mas a palavra grega *entos* pode também significar "no interior".

os incita a mergulhar em si, para procurar Deus e a verdade mais profunda de seus corações e de suas consciências, e não simplesmente por meio da observância do rito. É a mensagem que Jesus oferece à mulher samaritana quando esta lhe pergunta se se deve adorar a Deus na montanha da Samaria, como fazem os samaritanos, ou no Templo de Jerusalém, como os judeus. Ele lhe responde: "Crê, mulher, vem a hora em que nem sobre esta montanha nem em Jerusalém adorareis ao Pai, [mas] em espírito e verdade. [...] Deus é espírito, e aqueles que o adoram devem adorá-lo em espírito e verdade" (João, 4:21-24). Em outra obra,* expliquei longamente o quanto, em outra época, essa palavra era escandalosa na boca de um homem considerado piedoso. Num mundo em que se pensa firmemente que a salvação só se conquista pela fiel observância ao culto e ao respeito pela tradição, essa afirmação pode ser qualificada como revolucionária. Sem negar a importância do ritual coletivo, Jesus o relativiza ao mostrar que o essencial reside em outra parte. Ele remete cada um à sua interioridade: o verdadeiro templo é a consciência do ser humano, seu coração e seu espírito, onde ele encontra Deus. E é ouvindo a voz interior de sua consciência iluminada pelo Espírito de Deus que ele agirá de modo verdadeiro, justo e bom.

É o motivo pelo qual ele considera também emancipar o indivíduo do grupo. Num ambiente em que cada um está ligado à comunidade por laços de ordem familiar e pelos engajamentos de ordem social, Jesus pede aos que querem segui-lo que comecem partindo suas correntes. Ele mesmo se libertou de sua família e de seu clã, núcleo de base das sociedades da época, e ele exige dos discípulos que façam o

---

* *Le Christ philosophe* [O Cristo filósofo], Plon, 2007, epílogo.

mesmo: "Aquele que ama pai e mãe mais do que a mim não é digno de mim. E aquele que ama filho ou filha mais do que a mim não é digno de mim" (Mateus, 10:37).

Conhecimento e domínio de si

No entanto, para além da liberdade de escolha, o Buda, Sócrates e Jesus insistem num ponto essencial: a verdadeira liberdade é a liberdade interior, aquela que se adquire progressivamente, fazendo um trabalho sobre si mesmo, progredindo na consciência, escutando a voz do Espírito. Se esses três mestres de sabedoria pretendem libertar o indivíduo das sujeições do grupo e do peso da tradição, não é simplesmente para torná-lo politicamente autônomo. É para que ele possa realizar um caminho de libertação interior. Porque, por mais preciosa que ela seja, a liberdade política não serve de nada se não permite a cada um, por essa caminhada pessoal, sair da escravidão mais profunda que existe. Para Sócrates, é a ignorância; para Jesus, o pecado; para o Buda, o desejo-apego.

De fato, aos olhos do Buda, a verdadeira liberdade é a que cada ser humano deve conquistar, combatendo suas paixões, seus desejos, suas vontades, que são, na verdade, cadeias que o prendem ao samsara. Todo o seu ensinamento, como vimos, está contido nessas quatro verdades sobre a sede e sobre o apego que prendem o indivíduo à roda dos renascimentos. É o que ele repete aos Kamala, os céticos que o recebem em suas terras e que lhe demonstram sua perplexidade. É neles mesmos, insiste ele, e não nos ritos exteriores, que residem os ensinamentos autênticos. Como todo ser humano, eles podem descobrir que a avidez, a cobiça, o desejo são males em si, já que conduzem à realização de ações em si mesmas cruéis e fontes de desgraça. São, portanto, os princípios do dharma que eles devem seguir, e não os ensinamentos da tradição ou os dos ascetas (*Anguttara Nikaya*, 3, 65). Assim eles alcançarão a verdadeira libertação. Uma libertação que os tornará felizes nesta vida, mas também em qualquer existência futura, liberando-os do processo de renascimento ligado ao carma.

Para Sócrates, o pior dos males não é o desejo-apego, mas a ignorância. É ela a causa de todos os males: o erro, a injustiça, a maldade, a vida desregrada — tudo o que faz mal a alguém, mas, sobretudo, a si mesmo. É por causa da ignorância, em resumo, que os homens fazem sua própria desgraça. "É, pois, totalmente necessário, Cálicles, que o homem temperante que, como vimos, será justo, corajoso e piedoso, seja um homem perfeitamente bom, e que o homem bom aja bem e nobremente em tudo o que faz, e que aquele que age bem conheça o contentamento e a felicidade; e que o mau que age com maldade, seja infeliz" (*Górgias*, 507b8-c7). Sócrates é sustentado por uma convicção inquebrantável: é pelo conhecimento da verdadeira natureza das coisas que o homem se libertará do vício e da infelicidade. Aquele que alcançou o conhecimento do verdadeiro, do justo, do bom, só pode se tornar um homem bom e virtuoso. É de acordo com esse ponto de vista que ele está convencido da bondade intrínseca dos deuses. Porque eles possuem o conhecimento, são obrigatoriamente melhores que os humanos, já que "o que é divino é o belo, o sábio, o bom e tudo o que é assim" (*Fedro,* 246).

Auxiliado por um filósofo que conseguiu essa libertação pelo saber, cada um é, portanto, chamado a dar à luz verdades universais, que leva no mais íntimo de si e que o tornarão livre e verdadeiramente feliz.

A mensagem de Jesus está mais uma vez em consonância com a de Sócrates e a do Buda: "Se permanecerdes em minha palavra, sereis verdadeiramente meus discípulos e conhecereis a verdade, e a verdade vos libertará", promete ele aos que o escutam (João, 8:31-32). E quando seus interlocutores, que reivindicam descender de Abraão, replicam: "Jamais fomos escravos de ninguém", Jesus lhes responde: "Todo homem que se entrega ao pecado é seu escravo", e lhes promete: "Se, pois, o Filho vos libertar, sereis realmente livres" (João, 8:33-36). Depois de 2 mil anos de cristianismo, a palavra "pecado" é tão conotada que é difícil ouvir de um modo novo o que ela significa na boca de Jesus. Com uma preocupação jurídica bastante afastada do espírito dos Evangelhos, a instituição eclesiástica estabeleceu progressivamente, ao longo dos séculos, uma lista de pecados, promovendo até mesmo uma curiosa distinção entre pecados veniais — que podem ser perdoados — e pecados mortais — que levam ao inferno, os célebres sete pecados capitais: a preguiça, o orgulho, a gula, a luxúria, a avareza, a cólera e a inveja. Além do caráter infantil de semelhante lista de pecados — que afinal se originam mais da moral comum do que dos Evangelhos —, é preciso lembrar que Jesus dá uma única definição da palavra: o que separa de Deus, quer dizer, do amor e da verdade. Pecar é romper com Deus, é agir fora do amor e da verdade.

A palavra "pecado" é a tradução do latim *peccatum*, que significa falta. Ela mesma é a tradução do grego bíblico *hamartia*, que significa deficiência ou erro, e que por sua vez é a transcrição do hebraico *hatta't*, que se deveria traduzir o mais exatamente por "errar o alvo". Pecar é se enganar de alvo, mal orientar o desejo, ou então não atingir o verdadeiro objetivo visado. A partir do momento em que agimos mal, estamos no erro e separados da verdade, logo, de Deus. Certamente os célebres sete pecados capitais fazem parte dos comportamentos que podem afastar de Deus. Porém, como já observei, se Jesus não vai ao encontro da Lei, ele entende lhe conferir profundidade e ressonância pessoais e interiores. Ele não veio acrescentar novas leis ou definir novos pecados, mas mostrar que todo verdadeiro pecado se define segundo o amor, e que não é por medo do inferno que não se deve pecar, mas por medo de provocar a própria desgraça e a desgraça dos outros, afastando-se de Deus. Em resumo, é por amor que convém evitar o pecado e, depois de ter longamente caminhado, depois de ter errado e se erguido, a alma nem mesmo é mais tentada pelo pecado, pois aprendeu a conhecer sua natureza nociva. Assim que ele recupera o acesso ao amor e à verdade, o homem sai do pecado: ele reata com sua fonte, não está mais afastado, fechado em si mesmo, no erro ou no egoísmo. Portanto, não existem pecados "objetivos" que se poderiam listar e considerar como "definitivos". Todo vício moral enraizado (a avareza, o orgulho, a luxúria etc.) é certamente um pecado, mas o homem pode sair dele a qualquer momento desde que tome consciência de seu erro e modifique seu comportamento. E há outros pecados que Jesus denuncia com muito mais força nos Evangelhos: a hipocrisia religiosa e a falta de compaixão.

Profunda semelhança entre o ensinamento de Jesus e os de Sócrates e do Buda: a gravidade do pecado não está ligada à falta em si, mas à intenção que a orienta, e a seu caráter mais ou menos voluntário. Quanto mais a falta é consciente e intencional, mais ela é pesada e submete aquele que a comete a suas pulsões, a suas paixões, a seu orgulho, ou a seu egoísmo. Inversamente, um erro que se comete por ignorância ou por paixão cega é mais perdoável. É o sentido da tão comovente palavra que o Cristo pronunciará na cruz por compaixão por seus carrascos e pela multidão que zomba dele: "Pai, perdoai-os, porque eles não sabem o que fazem." Se, de fato eles soubessem o que faziam, e quem era verdadeiramente Jesus, jamais teriam agido daquele modo.

O Buda, Sócrates e Jesus concordam, pois, ao afirmar que o homem não nasce livre, ele se torna livre. Ele se liberta ao sair da ignorância, ao aprender a discernir o verdadeiro do falso, o bem do mal, o justo do injusto; ao aprender a se conhecer, a se dominar, a agir com sabedoria. E, para Jesus, essa formação não é apenas moral, ela não se adquire apenas pela educação, experiência, conhecimento racional, mas também pela fé e pela graça divina que instrui todo ser humano em seu próprio coração.

14

Sê justo

O conhecimento de si e da verdade permite ao indivíduo alcançar uma verdadeira liberdade interior. Porém, por mais importante que ela seja, a liberdade não é um fim em si. Ela dever permitir que cada um aja de modo justo e bom. Pois, em última instância, o que conta para o Buda, para Jesus, bem como para Sócrates, é levar uma vida conforme a verdade. A ética, a conduta de vida, o modo de viver com os outros e em sociedade constituem, pois, o ápice da mensagem deles.

Qual é o coroamento da vida moral e espiritual, o essencial que deve ser posto em prática? Para Sócrates, a virtude suprema é a justiça. Para o Buda, a compaixão. Para Jesus, o amor. Abordarei no último capítulo a questão do amor e da compaixão, que são conexos. Vejamos agora por que a justiça é a virtude socrática por excelência, e também como ela instaura a questão da igualdade de todos os seres humanos — questão que está no núcleo do ensinamento dos nossos três mestres.

A justiça, virtude suprema

Para os Antigos, a justiça constitui o ápice de todas as virtudes. É a "virtude completa", segundo Aristóteles (*Ética a Nicômaco*, V, 3), porque, sem ela, nenhuma virtude vale. Que valor tem, de fato, a coragem de um tirano? Um valor injusto não perde seu valor moral? Ou, como lembra Dostoievski, poderíamos nos submeter a torturar uma criança inocente para salvar a humanidade? A justiça subentende qualquer ação moral. É sem dúvida a virtude mais inata, a que a criança sente como a mais evidente: "Isso não é justo!", grita ela quando se sente vítima. Isso se deve também ao fato de que a justiça é a virtude social por excelência, um dos fundamentos da vida comunitária. Sem justiça, no sentido amplo do termo — quer dizer, sem regras que se manifestam como moralmente justas, que sejam imparciais e bem aplicadas, sem discernimento do verdadeiro e do falso, e sem sanção do erro —, não há vida social possível. A justiça política, que visa a aplicação das leis da cidade, deve se apoiar em duas noções fundamentais: a equanimidade e a verdade. A justiça se mostra "justa" porque se aplica a todos da mesma maneira, e porque leva em conta a verdade dos fatos.

Sócrates, que dá enorme importância à vida da cidade, considera a justiça a virtude suprema, porque ela é válida tanto para o indivíduo em particular quanto para o grupo social como um todo. Um indivíduo deve ser justo para com outrem e deve respeitar as leis da cidade, as quais também devem ser tão imparciais e conformes à verdade quanto possível. Consequentemente, "o maior de todos os males é cometer uma injustiça", afirma Sócrates (*Górgias*, 469b).

Cometer injustiça é, de fato, o pior dos crimes: não apenas porque ele torna a vida social impossível, mas também porque suja a alma de quem a comete. Um homem que descobriu a verdade, um homem bom, um homem virtuoso, não pode ser injusto e deve submeter-se às leis da cidade.

O que deve fazer o homem virtuoso diante de uma má ação da justiça? Sócrates não hesita em afirmar, contra a opinião geral, que "é melhor sofrer injustiça do que cometê-la" (*Górgias,* 509c). Vimos que, condenado à morte pela justiça ateniense, Sócrates se recusa a fugir, como lhe sugeria Críton. Ele explica aos amigos, estupefatos por sua atitude, que não são as leis que o condenam injustamente, mas os homens, e que não se devia responder à injustiça com outra injustiça: subtrair-se à justiça da cidade, mesmo mal aplicada, considerando-se e erguendo-se acima dela. Sócrates entrega-se, então, à justiça dos deuses, e, deixando falar as Leis, assim se exprime: "Vamos, Sócrates, tem confiança em nós, as Leis que te educamos. Não entregue nem teus filhos, nem tua vida, nem o que quer que seja ao que está acima da justiça, a fim de poder, ao chegares ao Hades, defender-te bem diante dos que lá governam" (*Críton*, 54b).

Sócrates prefere, portanto, sofrer injustiça a se negar à decisão dos juízes da cidade, por mais injusta que ela seja. E ele entrega sua alma à justiça divina, aquela que não pode enganar-se e que saberá lhe fazer justiça no além.

Temos de nos comover diante da semelhança entre a morte de Sócrates e a de Jesus: tanto um como o outro teriam podido fugir, e se recusaram. Tanto um como o outro aceitaram sofrer uma injustiça moral e uma sanção tão terrível quanto injusta para não se subtraírem à justiça política da cidade. Tanto um como o outro se entregam aos deuses ou a Deus, como única e verdadeira instância de julgamento.

O amor de Sócrates pela justiça é tal que ele se recusa a evitar uma decisão pronunciada pela justiça da cidade, e recusa também a ideia de cometer uma injustiça contra seus inimigos. Trata-se ainda uma vez de uma visão subversiva, numa Grécia onde era legítimo, e até mesmo glorioso, prejudicar deliberadamente os inimigos (e gratificar os amigos). "É dever absoluto jamais ser injusto, mesmo com aquele que o foi para conosco", ele define no *Críton* (49c). Do mesmo modo que, como vimos, Jesus recusa a lei de talião que diz "olho por olho, dente por dente" (Êxodo, 21:24), Sócrates considera uma obrigação sagrada nunca pagar o mal com o mal. Essa lei de talião é, contudo, considerada na Grécia profundamente justa e assim formulada por Hesíodo no século VIII a.C.: "Porque se sofrêssemos o que fizemos sofrer, reta justiça seria feita" (fragmento 174).

Por isso, Sócrates não desaprova, para quem cometeu um erro, o princípio dos castigos terrenos, tais como a pena de morte, o banimento, o confisco de todos os seus bens, desde que seja executado justamente (*Górgias*, 470c). Porque, para ele, aqueles que cometem erros seriam ainda mais infelizes se não recebessem uma justa punição por parte "dos homens e dos deuses" (*Górgias*, 472e), na medida em que "aquele que é punido se livra do mal da alma", que é "o maior dos males" (*Górgias*, 477a). Assim é que ele qualifica a punição como "remédio moral" (*Górgias*, 478d).

A ideia da necessidade de uma pena para o culpado também está presente na palavra do Buda e na de Jesus. Se as noções de amor, de perdão, de compaixão estão, como veremos a seguir, no centro do ensinamento deles, elas não extinguem o papel da justiça nem de seu corolário: a punição do culpado. Mas essa punição não consiste obrigatoriamente na aplicação rigorosa da lei humana, e nisso o Buda e Jesus se distinguem de Sócrates, que não pode ser mais apegado às leis da cidade. Para o Buda, a verdadeira justiça é a justiça imanente do carma, pela qual o indivíduo sofrerá as consequências de suas ações nesta vida ou na outra. Essa lei é inelutável, e ninguém pode escapar dela. Quanto a Jesus, ele remete à justiça divina, mais ainda que à dos homens, pois somente Deus "pode sondar os rins e os corações", como diz a Bíblia, e certas ações que podem parecer condenáveis aos olhos dos homens e de suas leis não o são obrigatoriamente aos de Deus. Assim é o caso da prostituta que lhe perfuma os pés, e que ele se recusa a condenar, para grande desgosto de seu anfitrião.

Todos iguais... ou quase

A justiça repousa na verdade, mas também na equanimidade. Experimentamos naturalmente um sentimento de injustiça diante de todas as desigualdades, a começar pela mais gritante de todas: a incrível disparidade das riquezas entre os indivíduos e as sociedades. Uma criança sempre ficará chocada ao ver outras crianças morrerem de fome em algumas regiões do mundo ou um homem dormir na rua. Eliminar a injustiça social e econômica é uma preocupação política que existe desde o século XVIII, e que infelizmente falhou de modo trágico nas experiências comunistas. Diante da disparidade das riquezas, Sócrates, Jesus e o Buda não pregam a estrita igualdade, mesmo porque eles sabem que não existe verdadeira igualdade entre humanos, tão diferentes por suas capacidades e talentos. Como vimos, eles mesmos dão o exemplo do desapego e de certa pobreza voluntária, e chamam os ricos a partilhar, como se soubessem que a igualdade econômica seria impossível de ser posta em prática por uma simples vontade política. Eles então apelam para a consciência de cada indivíduo, para que ele mesmo pratique uma repartição material mais justa. Somente quando os indivíduos se transformarem e aceitarem partilhar é que as injustiças sociais e econômicas provavelmente diminuirão. Seus discípulos imediatos, sejam apóstolos do Cristo, sejam os monges do Buda, deram o exemplo coletivo de uma renúncia ou de uma partilha total de bens. Atualmente se diria que eles apelam à "sociedade civil", quer dizer, a indivíduos organizados com base no voluntariado para fazer a sociedade evoluir.

Há, todavia, outro aspecto da mensagem dos três que insiste abertamente na igualdade dos indivíduos. A justiça, tal como eles a concebem, implica necessariamente a igualdade de todos diante da lei, seja essa lei humana, divina ou cármica. Para Sócrates, todos os cidadãos são iguais perante a lei. O Buda afirma que todo indivíduo se submeterá à lei da retribuição do carma, qualquer que seja sua condição. E, para Jesus, todos os seres humanos são iguais diante de Deus, que os julgará não em função de sua condição social, ou mesmo da religião, mas unicamente de acordo com a intenção de seus atos, e do amor ao próximo.

Por outro lado, na medida em que ele se dirige ao indivíduo e se quer universal, o ensinamento de Sócrates, de Jesus e do Buda tem também uma dimensão igualitária: todo ser humano pode realizar um caminho espiritual, procurar a verdade, tornar-se livre, alcançar o conhecimento verdadeiro e a salvação. Somos todos iguais em face do enigma da existência, da morte, da necessidade e das dificuldades de se conhecer e trabalhar sobre si. Invocando a justiça e a liberdade individual, a mensagem de Sócrates, de Jesus e do Buda se reveste, portanto, de uma dimensão fortemente igualitária, mesmo que alguns preconceitos sociais — especialmente relacionados à mulher — ainda permaneçam tenazmente neles.

O Buda deu um passo importantíssimo ao considerar obsoleto o sistema de castas, abolindo-o no interior da *sangha.* Para além da igualdade social, é também a compaixão para com todos os seres vivos que o sábio indiano prega, ignorando definitivamente a distinção entre mestres e escravos, ricos e pobres, nobres e plebeus, e também entre deuses, humanos e animais. No entanto, mesmo que, desde os primeiros tempos, tenha pregado indiferentemente aos homens e às mulheres, o Buda teria hesitado antes de permitir a entrada destas na comunidade de seus discípulos. Segundo a narrativa reproduzida no *Vinaya Cullavagga* (10, 1), sua tia Pajapati, que o criara depois da morte de sua mãe, três vezes suplicou ser admitida entre os seus, enfrentando a cada vez uma recusa categórica. Na quarta tentativa, Pajapati se apresentou ao Buda usando as roupas dos renunciantes, com os cabelos cortados, cercada de outras mulheres do clã Sakya em lágrimas, que foram reclamar o direito de integrar a ordem. Ananda, o mais próximo companheiro do Buda, intercedeu a favor de Pajapati e de suas companheiras, lembrando ao Buda que, segundo seus próprios termos, o dharma se dirige a todos os seres vivos. "As mulheres que escolhem o caminho da ascese tal como proclamada pelo Buda podem gozar do fruto da conversão?", pergunta Ananda. "Podem", responde o Buda, que acaba cedendo à solicitação, mas impondo-lhes oito condições que, de fato, estabelecem a inferioridade das monjas em relação aos monges. Assim, elas não podem passar a estação das chuvas num lugar onde não esteja pelo menos um monge (que lhes dispensará seus ensinamentos duas vezes por mês), elas também não podem presidir a seus próprios rituais, nem advertir um monge — mesmo que ele seja muito mais novo que elas (enquanto o inverso é autorizado). E o Buda assim termina seu discurso: "Se as mulheres não tivessem obtido a permissão de abandonar a vida de família para se juntarem ao *sangha,* a Lei teria durado mil anos. Mas agora que as mulheres receberam essa permissão, a pura religião não durará tanto tempo, mas apenas quinhentos anos" (*Vinaya Cullavagga*, 10, 1, 6). Em suas últimas palavras antes de falecer, o Buda lembra ao fiel Ananda, que o interroga sobre o modo de se comportar com as mulheres: "Não as olheis, não lhes faleis" (*Mahaparinirvana*, 5, 23). Essa forma de misoginia perdurou ao longo dos séculos: as monjas budistas são sempre relegadas às tarefas subalternas nos monastérios; a tradição considera que é mais favorável, e até indispensável, nascer no corpo de um homem para alcançar o Despertar. O dalai-lama e outros mestres budistas que vivem no Ocidente mantêm um discurso menos discriminatório, ou abertamente feminista, mas foi justamente pelo contato com as sociedades ocidentais que a causa das mulheres influenciou a religião budista.

"Longe de falar quando me pagam, de me calar quando não me dão nada, deixo tanto o rico como o pobre me interrogarem", afirma Sócrates na *Apologia* de Platão (33b). Na Atenas de sua época, o filósofo que percorria a ágora era, de fato, conhecido por exercer indiferentemente a maiêutica com ricos e pobres, os grandes guerreiros e os simples artesãos. "Não canso de lhes dizer que não é a riqueza que faz a virtude; mas, ao contrário, que é a virtude que faz a riqueza, e que é daí que nascem os outros bens públicos", argumentava ele diante do tribunal (*Apologia*, 30b). No entanto, Sócrates não esgota sua lógica igualitária, a que ele pregava e que o levava a dizer que todos os homens têm acesso ao conhecimento desde que queiram se engajar nesse caminho. Na verdade, ele adota as normas atenienses relativas aos "não cidadãos", quer dizer, escravos, mulheres e estrangeiros, três categorias excluídas do campo da democracia e que, com raras exceções, são igualmente excluídas do campo de seus interlocutores. Assim é que ele diz a Cebes: "Se um dos escravos que te pertencem se suicidasse sem que tu lhe tivesses dado permissão, não ficarias encolerizado com ele e não o punirias, se pudesses?" (*Fédon*, 62c). Ao mesmo tempo, ele não consegue infringir essa regra, como se ele a pressentisse injusta, apesar de seu instinto cívico tão desenvolvido. Como não sublinhar que foi o mesmo Sócrates que pediu a Críton que comprasse para ele o escravo Fédon, e que fez dele um filósofo? Como não destacar sua réplica, contada por Diógenes Laércio, àquele que um dia lhe disse num tom depreciativo que seu discípulo Antístenes era filho de uma estrangeira, uma mulher da Trácia — o que o excluía da plena cidadania ateniense: "Acreditavas que semelhante homem poderia ter nascido de dois atenienses?" E se ele quase nunca se dirige às mulheres, reconhece, contudo, duas amantes da arte de filosofar: Diotima, à qual se refere em *O Banquete* para falar do amor, e Aspásia, a companheira de Péricles, que, diz ele, lhe ensinou a arte da retórica. Aspásia era, além disso, uma estrangeira sobre quem ele afirma que "formou muitos bons oradores, a começar por Péricles, o maior de todos" (*Menexeno*, 235e). É verdade que, libertada por ser cortesã, protegida pelo brilhante Péricles — que, por não poder desposá-la, já que era estrangeira, fez com que ela se destacasse no mundo intelectual e participasse dos debates de sua época —, Aspásia não era uma "mulher como as outras", dessas que, segundo a lógica ateniense da época, tinham como função apenas procriar e dirigir o lar. Lembremos também que, antes de morrer,

Sócrates pediu que afastassem sua mulher e seus filhos para ficar, no instante final, "entre homens" de boa companhia.

Jesus também afirmou de forma veemente o igual respeito a que todos têm direito enquanto seres humanos, rompendo, como o Buda, com a moral de seu tempo, que reconhecia o próximo unicamente entre os seus: os do mesmo povo, da mesma cidade, da mesma casta, do mesmo clã. Essa igualdade reivindicada para todos os humanos, filhos de um mesmo Deus e, portanto, irmãos, é a pedra angular do Reino que ele proclama, e cuja edificação já começou. Ele exprime essa igualdade, privilegiando os pobres, os excluídos, as prostitutas, em outras palavras, aqueles que foram desprezados pela sociedade. Ele o manifesta, recusando a distinção entre puros e impuros, frequentando os leprosos e os publicanos, dirigindo-se às crianças que tentam afastar dele, aceitando até mesmo os pagãos, como o centurião romano de Cafarnaum sobre quem ele diz com admiração: "Em verdade vos digo que, em Israel, não achei ninguém que tivesse tal fé" (Mateus, 8:10).

A insistência de Jesus sobre a noção de "próximo" leva um de seus discípulos a lhe perguntar: "E quem é meu próximo?" E Jesus lhe responde com a parábola do bom samaritano. Este, que pertence a um povo desprezado, está na estrada quando vê um desconhecido abandonado por bandidos que o despojaram de todos os seus bens e o deixaram à morte. Um sacerdote e um levita passam pelo desconhecido, fingindo não vê-lo. O samaritano cuida dele, leva-o até uma hospedaria onde o deixa em convalescença, pagando todas as despesas. "Qual dos três, em tua opinião, foi o próximo do que caiu nas mãos dos assaltantes?", perguntou Jesus. "Aquele que usou de misericórdia para com ele", respondeu o discípulo. "Vai, e também tu, faze o mesmo", ordena-lhe então Jesus (Lucas, 10:29-37).

Jesus aparece como o mais feminista de nossos três sábios. Ele não hesita em se dirigir às mulheres, inclusive às prostitutas e às estrangeiras, que, julgadas impuras, são excluídas da caridade que a Lei impõe que seja exercida, mas unicamente para com os puros entre o povo de Israel. Ele acolhe a pecadora que lhe banha os pés com lágrimas e perfume, e os enxuga com os cabelos, e ele repreende o anfitrião, Simão, o fariseu, que se choca: "Seus numerosos pecados lhe são perdoados, porque ela demonstrou muito amor." Em seguida, disse à mulher: "Tua fé te salvou; vai em paz" (Lucas, 7:36-50). É a mesma frase que ele repete à mulher hemorrágica que se atira a seus pés e o toca, apesar de sua impureza (Marcos, 5:25-34). Jesus se dirige às mulheres, que ele sabe oprimidas, com infinita mansidão, e as considera iguais aos homens: quando o acolhe em sua casa, Maria, irmã de Marta, abandona as tarefas domésticas para se sentar ao seu lado e ouvir seus ensinamentos como faria um homem (Lucas, 10:38-42). Ele as escuta, tal como à cananeia, uma estrangeira cuja filha ele cura, ou à samaritana, também estrangeira, cinco vezes divorciada, vivendo em concubinato (João, 4:7-30). Ele lhe fala quando estão sozinhos, transgredindo as convenções; seus discípulos, que surpreendem essa conversa, ficam espantados, mas não ousam interrogá-lo.

Apesar de tudo, ele escolherá somente homens para constituir seu círculo de apóstolos. Será uma concessão à mentalidade da época, que não poderia admitir a presença de mulheres nesse círculo restrito? Ou então uma decisão baseada num motivo teológico, como o afirma a Igreja para continuar recusando o acesso das mulheres ao sacerdócio? Impossível decidir a partir das próprias palavras de Jesus. Contudo, podemos lembrar este fato significativo: os Evangelhos nos dizem que foi a uma mulher, Maria Madalena, que ele apareceu pela primeira vez, no domingo de Páscoa. Ela é também a primeira discípula de Jesus a anunciar a "boa nova" de sua ressurreição. Ela é o apóstolo dos apóstolos.

15

Aprende a amar

Para o Buda e para Jesus, há duas virtudes ainda mais importantes que a justiça: o amor desinteressado e a compaixão. No Evangelho de João, o episódio da mulher adúltera ilustra brilhantemente a necessária superação da justiça pelo amor. Embora já tenha sido lembrada, a cena merece ser contada em detalhes, pois é do princípio ao fim exemplar.

Jesus chega de manhã cedo ao átrio do Templo de Jerusalém e ensina à multidão. Surgem os escribas e fariseus, quer dizer, os notáveis religiosos atentos ao respeito à Lei. Eles põem diante de Jesus uma mulher surpreendida em flagrante delito de adultério, e lembram a ele que a Lei de Moisés ordena o apedrejamento como castigo para esse delito. O objetivo deles é pôr Jesus à prova. Desconfiam de que Jesus se recuse a mandar aplicar a Lei determinada por Moisés. Em vez de responder, Jesus se abaixa e traça algo na terra. Ninguém sabe o que ele escreveu, mas, segundo sabemos, são as únicas palavras que ele escreveu de próprio punho. É claro que, abaixando-se, ele recusa o confronto violento do olhar com seus interlocutores. Ele deixa passar um momento de silêncio, se ergue e lhes diz: "Quem dentre vós estiver sem pecado, seja o primeiro a lhe atirar uma pedra." Em seguida, sempre evitando o confronto, abaixa-se e continua a escrever na terra. Os acusadores da pecadora se retiram então um a um, "a começar pelos mais velhos", diz o Evangelho, não sem humor.

Ficando sozinho diante da mulher, Jesus pôde então erguer-se. Ele não procurou humilhar seus acusadores, encarando-os; ele se apagou, retirou-se, para deixá-los a sós com sua consciência. Foi também o melhor modo de salvar a vida daquela infeliz que foram buscar ao amanhecer no leito do amante, e que eles arrastaram, provavelmente nua, até o átrio do Templo. Fazendo um círculo em torno deles, a multidão e seus discípulos assistiram em silêncio, cuja intensidade dramática se pode adivinhar. Somente então ele se dirige à acusada: "Mulher, onde estão eles? Ninguém te condenou?" Ela respondeu: "Ninguém, Senhor." Disse então Jesus: "Nem eu te condeno. Vai, e de agora em diante, não peques mais" (João, 8:1-11).

Jesus se recusa, pois, a aplicar a pena prevista pela Lei. Evidentemente, ele reconhece a realidade do erro, já que lhe pede para não mais pecar. Mas certamente julga a pena desproporcional e sente compaixão pela mulher, como, aliás, por todos os pecadores que ele encontra. Com esse gesto, ele testemunha que o perdão suplanta a Lei e, sobretudo, que ele é infinitamente mais eficaz para salvar as almas de sua cegueira e de sua fraqueza.

Jesus mostra que o amor e a compaixão estão acima da justiça. É preciso, de certo, que haja regras, leis, limite, e em parte alguma ele contesta a necessidade disso. Para ele, porém, a aplicação da justiça se deve fazer com misericórdia, levando-se em conta cada pessoa, sua história, o contexto, e também a intenção, o que se passa na intimidade da alma, que ninguém pode sondar e muito menos condenar de fora.

Essa questão permanece de uma atualidade candente. Pode-se constatá-lo por um caso recente (março de 2009), acontecido no Brasil, o caso da menininha de 9 anos que engravidou de gêmeos depois de ter sido violentada pelo padrasto. O arcebispo do Recife excomungou a mãe e a equipe médica que praticou o aborto para salvar a vida da menininha. O cardeal Battista Re, prefeito da Congregação dos Bispos e braço direito do papa Bento XVI, confirmou a sentença, explicando que o arcebispo somente tinha posto em prática o Direito Canônico que excomunga *de facto* qualquer pessoa que pratique o aborto, por qualquer motivo que seja. Imaginemos a cena evangélica transposta para hoje: os cardeais e os especialistas em Direito Canônico fazem comparecer a mãe da menininha e o médico diante de Jesus e lhes dizem: "A Lei nos ordena excomungá-los. O que vocês acham?" Facilmente adivinhamos o resto... e pensamos que, decididamente, a história não para de se repetir! Jesus veio dizer que o amor dá todo o sentido à Lei, que a justiça sem misericórdia perde em humanidade e sentido, e que, no fim das contas, só existem casos particulares.

Antes, porém, de desenvolver essa mensagem e ver o quanto o Buda lhe está próximo, gostaria de voltar a Sócrates. Por que parece que o amor não ocupa um lugar importante na sua filosofia moral? Por que ele considera a justiça, e não o amor, a virtude suprema? Simplesmente porque, para ele, o amor não é uma virtude. Nem virtude humana, como para o Buda, nem virtude divina, como para Jesus. O amor é um impulso, um desejo produzido por uma falta, e Sócrates desconfia dele tanto quanto o louva. Porque é muito esclarecedora e remete, sob muitos aspectos, ao que pensamos espontaneamente, a concepção socrática do amor nos ajudará a melhor compreender a de Jesus e do Buda, que é muito diferente.

O eros socrático

É em *O Banquete* que Platão expõe a visão socrática do amor. Lembramos desse maravilhoso diálogo — o primeiro que eu mesmo descobri na adolescência —, sobretudo o célebre discurso de Aristófanes. O poeta explica que, antes, éramos formados apenas de um corpo duplo. Os machos tinham dois sexos masculinos, as fêmeas, dois sexos femininos, e os andróginos, um sexo de cada gênero. Infelizmente, Zeus decidiu cortar em dois nossos distantes ancestrais. Desde então, procuramos incessantemente nossa metade, que, qualquer que seja nosso sexo, pode ser homem ou mulher, segundo a natureza de nossa dupla origem. Para Aristófanes, essa busca é justamente o que chamamos de amor. O amor é o desejo de encontrar nossa unidade original perdida. E ele oferece a maior felicidade quando nos permite reencontrar nossa metade e restaurar nossa plena natureza.

Se gostamos desse discurso de Aristófanes, é porque ele alimenta nossos sonhos de grande amor, de total completude com o ser amado. O amor se torna assim uma verdadeira busca do Graal: encontrar a alma gêmea e unir-se novamente a ela para sempre. Talvez Aristófanes possa ser considerado o verdadeiro inspirador do amor romântico, tal como se desenvolverá bem mais tarde no Ocidente. Contudo, para além do aspecto místico da narrativa, esse amor existe mesmo? Infelizmente, a experiência da maioria mostra que não! Ou, pelo menos, é coisa raríssima. O amor absoluto e eterno, a unidade total entre dois seres, parece provir antes de um fantasma fusional para o qual, primeiramente a psicanálise e, em seguida, as outras ciências do psiquismo, puderam encontrar diferentes explicações.

Sócrates também não crê no mito de Aristófanes, mas ele retém seu aspecto essencial: o amor é mesmo o desejo de algo que nos falta. É o motivo pelo qual o amor não pode ser divino: os deuses não sentem falta alguma! "O que não temos, o que não somos, aquilo de que sentimos falta: são esses os objetos do desejo do amor", explica Sócrates (*O Banquete*, 200e). Partindo dessa constatação, o filósofo vai falar do amor, evocando outro mito, o de Eros. E, coisa bastante rara, que vale sublinhar, ele pretende ter recebido esse ensinamento de uma mulher: Diotima. Essa mulher de Mantineia lhe ensinou que o amor, não podendo ser um deus, fez-se um *daimon*, um mediador entre os deuses e os homens. Sempre insatisfeito, sempre em movimento, sempre em busca de seu objeto, sempre mendigando, Eros leva os homens a desejarem coisas tão diversas como a riqueza, a saúde, as honrarias, os prazeres dos sentidos etc. Mas, em última instância, o que eles desejam acima de tudo é a imortalidade. É o motivo pelo qual eles fazem filhos e criam obras, quer de arte, quer do espírito. Apesar de tudo isso, cada um sabe no fundo de si mesmo que a morte permanece uma realidade incontornável, e que nem o amor de nossos filhos nem o de nossas obras jamais nos levará a uma felicidade durável.

Diotima revela então a Sócrates uma via espiritual que conduz, pelo amor, até o Bem supremo, o único que pode nos preencher. Elevando-se gradualmente, é pelo amor da beleza que a alma ascende ao Belo e ao Bem supremos que são as duas faces de uma mesma realidade. Inicialmente, a alma se apega a um belo corpo em particular, e, depois, à beleza dos corpos em geral. Elevando-se sempre mais, ela se apega em seguida à beleza das almas, depois à beleza da virtude, das leis e das ciências, até ascender, por fim, ao termo desse longo percurso iniciático, à beleza em si, que é divina. Sua felicidade é, então, sem limite: "É aí que se situa o momento em que, para um ser humano, a vida vale verdadeiramente ser vivida, porque ele contempla a beleza em si mesma", conclui Diotima na voz de Sócrates. "Se um dia alcançares essa contemplação, verás que essa beleza não se compara ao ouro, aos ornamentos, aos belos filhos e aos belos adolescentes cuja vista agora te perturba. Estais prestes a vos privar de comer e de beber para contemplar vossos bem-amados e gozar da presença deles. Nessas condições, que sentimentos poderia experimentar um homem que conseguisse contemplar a beleza em si, simples, pura, sem mescla [...], aquela que é divina na unicidade de sua forma?" (211d-e).

O que reter do discurso socrático sobre o amor? Que o amor humano é um desejo perpetuamente insatisfeito, mas que pode encontrar sua pacificação ao termo de um longo caminho espiritual, na contemplação mística do absoluto. Nisso Sócrates se aproxima do que mais tarde dirão os místicos judeus, cristãos e muçulmanos: o amor é um desejo de Deus que se ignora e que só encontra repouso em Deus. Mesmo o adepto da sexualidade mais desenfreada está, sem o saber, em busca do Bem e da Beleza supremos, de Deus. Ele apenas se engana de objeto. Porque todo amor e todo desejo devem simplesmente encontrar seu alvo justo. Reconhecemos aqui o ensinamento de Jesus sobre o pecado, cuja etimologia hebraica, como vimos, significa "errar de alvo". Sob tal perspectiva, o amor, como sustenta Sócrates, é um impulso, uma força que nos move, não é absolutamente uma virtude, já que a virtude é um coroamento, uma qualidade estável da alma. O amor pode levar tanto ao melhor quanto ao pior. Podemos nos sacrificar por amor, e também matar por amor. Podemos nos apegar por amor ao que nos faz mal, bem como ao nosso maior bem. O amor em si não é nem uma qualidade nem um defeito, nem uma virtude nem um vício, nem bem nem mal. O amor é a força universal cega que nos impulsiona continuamente a procurar algo que nos falta, e que pede para ser educada, dominada e ordenada.

Jesus não desaprovaria essa definição do *eros*, porém ele dá uma definição completamente diferente para a palavra "amor", e, com isso, faz do amor, contrariamente a Sócrates, a virtude suprema.

O amor cristológico

Muito antes de Jesus, Aristóteles, brilhante discípulo de Platão, já havia feito evoluir a noção de amor. Para ele, o amor não é apenas desejo. Ele também pode se manifestar na amizade que permite aos seres humanos se alegrarem juntos numa partilha recíproca. Sobre esse amor de amizade, que ele chama de *philia*, para diferenciá-lo de *eros*, Aristóteles não hesita em afirmar que ele constitui, com a contemplação divina, a mais nobre atividade do homem, aquela que lhe permite ser verdadeiramente feliz (*Ética a Nicômaco*). Essa visão não restringe absolutamente a visão socrática, mas a completa: sem chegar à contemplação divina, o amor humano pode desabrochar no prazer e na alegria; ele não é mais apenas uma pulsão, um desejo fundamentalmente ambivalente, nem sempre uma falta ou insatisfação. Aristóteles faz, assim, do amor uma experiência alegre e uma virtude.

Jesus dirá ainda sobre o amor uma coisa que não anula as concepções de *eros* e de *philia*. É por isso que os autores dos Evangelhos procurarão na língua grega uma terceira palavra para designar a concepção cristológica do amor: *ágape*. Partindo do discurso de Jesus, essa palavra introduz uma nova dimensão que vai além do desejo-*eros*, ou da amizade-*philia*. *Ágape* é um amor no qual dominam a benevolência e o dom.

Como já expliquei no capítulo sobre a verdade, Jesus se apresenta como aquele que vem revelar que "Deus é amor". Para ele, o amor é realmente o nome de Deus. O amor de que se trata aqui não é uma falta, o que, em Sócrates, excluía dele os deuses; é, ao contrário, uma plenitude de ser. Jesus afirma que Deus ama todos os homens com um amor incondicional. E seu amor se torna o modelo do qual os homens devem se inspirar para amar a Deus e ao próximo.

Como Jesus faz os discípulos entenderem o caráter desse amor divino que ama sem esperar ser amado, que dá gratuitamente, que quer o bem de qualquer ser por pura bondade? Ele parte do que eles melhor conheciam: as Escrituras e a Lei mosaica. Ele toma para si a famosa "regra de ouro" que se encontra na Bíblia, e também em todas as culturas antigas: "Não faças a ninguém o que não queres que te façam" (Tobias, 4:15). Mas ele pretende dar a essa regra um novo alcance, tornando-a verdadeiramente universal. A Bíblia, de fato, exorta o amor ao próximo (Levítico, 19:18), sobre o qual insistem vários sábios do Talmude, a exemplo do rabino Aquiba, qualificando-o como "o maior preceito da Lei".* A definição bíblica do "próximo" permanece, contudo, restritiva, no mais das vezes ligada ao pertencimento ao mesmo povo, e será preciso esperar até a metade do século I para que Fílon, filósofo judeu impregnado de cultura grega, a estenda aos estrangeiros, que ele recomenda amar "não apenas como amigos, como parentes, e sim como a si mesmo".** Jesus deseja que essa regra de ouro, também reservada apenas aos

* *Midrash Sifra*, Levítico 19:18.

** *De virtutibus* [Sobre as virtudes], 103.

cidadãos pelos gregos e romanos, seja aplicada a todos os seres humanos: homem, mulher, criança, estrangeiro. Ele não estabelece limite para sua definição de próximo: "Se amais aos que vos amam, que recompensa tendes? Não fazem também os publicanos a mesma coisa? E se saudais apenas os vossos irmãos, que fazeis de mais? Não fazem também os gentios a mesma coisa? Portanto, deveis ser perfeitos como vosso Pai celeste é perfeito" (Mateus, 5:46-48).

Para Jesus, Deus não faz diferença entre os seres humanos. Ele é um "pai" justo e bom, que ama igualmente todos os filhos, sejam eles bons ou maus, justos ou ingratos. É o motivo pelo qual Jesus dá um passo além e afirma que o amor deve se estender também aos inimigos, o que constitui um choque profundo para seu auditório: "Ouvistes o que foi dito: 'Amarás o teu próximo e odiarás teu inimigo.' Eu, porém, vos digo: amai os vossos inimigos e orai pelos que vos perseguem; desse modo vos tornareis filhos de vosso Pai que está nos céus, porque ele faz nascer o seu sol igualmente sobre maus e bons, e cair a chuva sobre justos e injustos" (Mateus, 5:43-45). Com essa palavra, Jesus quebra a lei fundamental da reciprocidade que rege as relações humanas em qualquer sociedade. O amor de que ele fala vai mais longe que o amor bíblico ao próximo, o qual excluía os inimigos, ou que a *philia* de Aristóteles, que exigia reciprocidade de sentimentos entre amigos. O amor de que ele fala, o *ágape*, se baseia no modelo divino: é um amor de pura benevolência. O amor cristológico não é mais um sentimento natural, nem um sentimento partilhado, ele se torna verdadeiramente um mandamento universal que nos ordena amar qualquer ser humano como Deus o ama, como Deus nos ama. Por palavras, mais ainda por ações, Jesus pretende testemunhar esse amor incondicional. Por isso, na véspera de sua morte, ele poderá dizer aos discípulos: "Que vos ameis uns aos outros como eu vos amei" (João, 13:34).

Em seu notável *Pequeno Tratado das Grandes Virtudes* (PUF), André Comte-Sponville observa que "o amor não se comanda, e não poderia ser um dever" (p. 241). Quer se trate de amor-*eros*, quer de amor-*philia*, não amamos por imposição. Amamos por desejo ou por prazer, por impulso ou por escolha, jamais porque nos ordenam. É nisso que consiste toda a dificuldade do amor benevolente de que fala Jesus, e que ele apresenta como um "novo mandamento" (João, 13:34). Adiante, André Comte-Sponville, baseando-se em Kant, mostra que o amor ao próximo, tal como definia a Bíblia e especialmente o Cristo, é um "ideal" ao qual é preciso tender, um ideal de santidade que guia e ilumina. Como qualquer outra virtude, esse tipo de amor pode, portanto, se obter. Não amamos o próximo (sobretudo alguém que nos é indiferente, ou inimigo) espontaneamente: aprendemos a amá-lo, do mesmo modo que aprendemos a ser justos ou comedidos. O filósofo explica que, do mesmo modo que a polidez é um simulacro da moral, também a moral é um simulacro do amor: "Agir moralmente é agir como se amássemos [...]. Como a moral liberta da polidez consumando-a (somente o homem virtuoso não precisa mais agir como se o fosse), o amor, que consuma por sua vez a moral, dela nos liberta: somente quem ama não precisa mais agir como se amasse. É pelo espírito dos Evangelhos ("Ama, e faz o que quiseres") que Cristo nos liberta da Lei, cumprindo-a, explica Spinoza, não a abolindo e inscrevendo-a para sempre 'no fundo dos corações'" (p. 243-244).*

---

* A referência a Spinoza é tirada de seu *Tratado teológico*, capítulo IV. Baruch Spinoza, que foi excluído da sinagoga em 1656, jamais se converteu ao cristianismo, mas considerava Cristo o maior mestre espiritual.

Jesus pretende, pois, gravar a Lei no fundo de nossos corações, educar seus interlocutores para amar de modo generoso e desinteressado. Ele é um educador do amor-*ágape*. E por isso ele começa cumprindo a Lei, quer dizer, mostrando-a, como lembra Spinoza, que a Lei só tem sentido por causa do amor que a motiva e para o qual ela é apenas uma pedagogia. Os exemplos abundam nos Evangelhos. O amor ao próximo está acima das leis religiosas: "Qual de vós, se seu filho ou seu boi cai num poço, não o retira imediatamente em dia de sábado?", pergunta ele a fim de justificar suas transgressões do dia sagrado de repouso dos judeus para realizar curas (Lucas, 14:5). O amor ao próximo é mais importante que o culto: "Se [...] te lembrares de que o teu irmão tem alguma coisa contra ti, deixa tua oferta ali diante do altar e vai primeiro reconciliar-te com teu irmão; e depois virás apresentar a tua oferta" (Mateus, 5:23-24).

A educação do amor-*ágape* passa necessariamente por uma fase de aprendizado, de compreensão, de esforço, já que não apenas ele não tem nada de espontâneo, mas ainda atinge o egoísmo natural do coração humano. Para Jesus, no entanto, esse amor é também transmitido ao homem por Deus, que o ajuda a amar do mesmo modo que ele o ama. O *ágape* "é infundido" nos corações por Deus, dirão mais tarde os teólogos cristãos. Não é uma virtude moral, mas uma virtude "teologal", quer dizer, que vem de Deus e que conduz a Deus. E Jesus se apresenta como o grande educador do amor, por palavras e atos, e como seu mediador. Ele promete interceder junto a Deus para que ele dê sua graça e ensine a amar todo ser humano que a ele recorra: "O que pedirdes em meu nome eu o farei [...]. Se alguém me ama, guardará minhas palavras, e o meu Pai o amará, e a ele viremos e nele estabeleceremos morada" (João, 14:13 e 23).

Jesus explica que, quando o amor divino, dado pela graça com a cooperação do homem, se enraíza nos corações, deixa de ser um esforço. Ele jorra como uma "água viva" (João, 4), dá liberdade, felicidade, alegria. Não é mais o prazer ligado à satisfação do desejo. É a alegria do dom. Uma experiência que todos podem ter: a alegria de dar gratuitamente, sem nada esperar em troca, nem mesmo um agradecimento ou um sinal de gratidão. É uma experiência que, todos os dias, têm os que consagram totalmente a vida a Deus ou ao próximo. São Paulo, que elabora uma teologia da salvação pelo Cristo, e curiosamente cita poucas palavras de Jesus, registra, contudo, uma que não foi mantida nos Evangelhos, e que parece emblemática: "[...] tendo presentes as palavras do Senhor Jesus, que disse: 'Há mais felicidade em dar do que em receber'" (Atos: 20, 35).

Quando o amor começa a se enraizar, quando ele não é mais um esforço, quando ele se torna verdadeiramente uma virtude, encontramos no amor-*ágape* as características do amor-*philia* quando desabrocha entre amigos: prazer e alegria. Mas essa felicidade está ligada a uma partilha recíproca entre o ser humano e Deus ou o Cristo. Trata-se de uma amizade divina. Por isso Jesus disse aos seus discípulos: "Assim como o Pai me amou, também eu vos amei. Permanecei em meu amor. Se observais meus mandamentos, permanecereis no meu amor, como eu guardei os mandamentos de meu Pai e permaneço no seu amor. Eu vos digo isso para que a minha alegria esteja em vós e vossa alegria seja plena. Este é o meu mandamento: amai-vos uns aos outros como eu vos amei. Ninguém tem maior amor do que aquele que dá a vida por seus amigos. Vós sois meus amigos, se praticais o que vos mando. Já não vos chamo servos, porque o servo não sabe o que seu senhor faz; mas eu vos chamo amigos, porque tudo o que ouvi de meu Pai eu vos dei a conhecer" (João, 15:9-15).

Jesus diz essas palavras aos seus discípulos numa quinta-feira, à noite, véspera da Páscoa judaica. Na mesma noite ele será preso e, no dia seguinte, condenado e crucificado. Ele sabe. Ele aceita. É desse modo que ele pretende manifestar de modo definitivo o que é o amor-*ágape*. Pois a característica do egoísmo, que é universal, é sempre querer se afirmar mais, com o risco de dominar o outro; é a vontade de afirmação de si e de poder que está na origem de todas as tiranias e de todas as guerras. Jesus quer mostrar que o *ágape* divino é seu oposto exato. Ele é a manifestação do não poder. Não por impotência, como na criança ou no indivíduo desprovido de forças ou de poder, mas pela recusa livre e voluntária de utilizar a força de que se dispõe. O amor-*ágape* se manifesta plenamente pela renúncia, a abnegação livremente consentida. É exatamente o que faz Jesus ao aceitar ser traído por um dos seus, em seguida, entregue aos seus acusadores e, por fim, crucificado. Jesus morreu dando testemunho da verdade do amor como dom de si. Como eu disse em outra obra,* a morte de Jesus está em conformidade com sua mensagem: ele derruba os valores sociais de precedência ("os primeiros serão os últimos"), ele eleva os humildes, ele se dirige prioritariamente aos pobres e aos excluídos, ele louva as crianças, lava os pés de seus discípulos, revela a essência de seu ensinamento a uma mulher estrangeira e pecadora, e morre da maneira mais degradante que existe, crucificado como um criminoso. A figura do Messias que ele estabelece não é a do Messias glorioso que aniquila seus inimigos, mas a de um Messias "manso e humilde de coração" (Mateus, 11:29) que

---

* *Le Christ philosophe* [O Cristo filósofo], *op. cit.*, epílogo.

renuncia a exercer seu poder diante dos que o perseguem. É assim que, para além do sentido simbólico e da manifestação de sua compaixão, podemos compreender os milagres de Jesus. Se ele não tivesse logo manifestado seu poder por sinais extraordinários, ninguém teria compreendido que ele proibiu a si mesmo de exercer esse poder para escapar da morte. Sem essas demonstrações prévias de seu poder, provavelmente se teria pensado que ele não tinha o poder de evitar seu fim trágico. Ora, a força dramática e enigmática dos Evangelhos consiste nessa contradição entre o poder que Jesus manifesta por meio de seus milagres ao longo de sua vida pública e o não poder que ele manifesta no momento de sua paixão. Essa contradição flagrante e aparentemente absurda não escapou às testemunhas da crucificação: "A outros salvou, que salve a si mesmo, se é o Cristo de Deus, o eleito" (Lucas, 23:35).

Jesus não inverte somente a figura do Messias todo-poderoso; ele também inverte a do Messias terreno. Ele clama alto e forte que seu Reino não é deste mundo. Por essa saída para "fora do mundo", ele mostra que o verdadeiro reino de Deus está no além. Todo o sentido de sua Ressurreição — se é que ela aconteceu, evidentemente, mas nada impede ao não crente tentar compreender a coerência do mito cristão, na falta de sua veracidade — está contido nessa lógica de saída do mundo, de passagem de um Reino terrestre a um Reino Celestial. Os Evangelhos afirmam que Jesus não veio à terra para impor o Reino de Deus, mas para chamar os homens a ele e lhes mostrar o caminho que conduz ao Reino dos Céus, cuja existência ele manifesta por sua ressurreição, em seguida pela ascensão ao Céu, um céu que não é um lugar físico, mas o símbolo do além. Um Messias guerreiro teria triunfado sobre seus inimigos pela força, e imposto a lei divina sobre a terra. Jesus é um Messias crucificado — "escândalo para os judeus e loucura para os pagãos", segundo a fórmula de Paulo (1 Coríntios, 1:23) — que pretende manifestar pela entrega de si o que é o *ágape*, o amor divino.

Segundo a medida desse amor, o ensinamento do Cristo se mostra em sua singularidade: o ato de adoração explícita não é necessário para que o espírito humano esteja em ligação com Deus, para que seja movido pelo Espírito que "sopra onde quer" (João, 3). Todo homem que age de modo verdadeiro e amoroso está ligado a Deus, fonte de toda bondade. Assim o teólogo protestante Dietrich Bonhoeffer — executado em 1945 no campo de concentração Flossenbürg pelos nazistas por ter participado de um complô contra Hitler — falou do Cristo como o "Senhor dos irreligiosos".* Observando os fiéis de todas as religiões, constatamos facilmente que o conhecimento das Escrituras Sagradas, laço explícito com Deus, a realização das preces rituais e das regras religiosas podem, sem dúvida, ajudar o crente, mas não constituem a garantia de uma conduta exemplar de um bom caminho. Inversamente, a ausência de religião não impedirá um homem de ser verdadeiro, justo e bom. A mensagem do Cristo valida essa observação universal, dando-lhe um fundamento teológico: em última análise, adorar a Deus é amar ao próximo. E a salvação é oferecida a qualquer homem de boa vontade que age verdadeiramente segundo sua consciência. É o motivo pelo qual Jesus ensina à samaritana (João, 4) que nenhuma meditação humana, nenhum gesto sacrificial, nenhuma instituição é indispensável para o homem ligar-se a Deus e viver sua graça, que abre as portas para a vida eterna. Na célebre

* Seu último pensamento chegou a nós por meio de suas cartas da prisão reunidas e publicadas em 1951 com o título de *Résistance et soumission* (Labor et Fides). [Resistência e submissão. São Leopoldo: Sinodal, 2003.]

parábola do Juízo Final, ele o afirma do modo mais claro possível, dizendo aos justos: "Vinde, benditos de meu Pai, recebei por herança o reino preparado para vós desde a fundação do mundo. Pois tive fome e me destes de comer. Tive sede e me destes de beber. Era forasteiro e me recolhestes. Estive nu e me vestistes; doente, e me visitastes; preso e viestes me ver." E quando os justos, que não conhecem Jesus, se espantam com tais palavras, ele lhes dá esta resposta: "Em verdade vos digo: cada vez que o fizestes a um desses meus irmãos mais pequeninos, a mim o fizestes" (Mateus, 25:34-40).

A compaixão budista

Mesmo pretendendo revelar o amor-dom de caráter divino, o ensinamento de Jesus não nega o *eros* socrático, o desejo jamais satisfeito que leva o coração humano a se apegar ao que lhe falta e que pode conduzi-lo à beleza, à bondade e à verdade suprema. O mesmo não acontece com o Buda. Este condena sem ambiguidade o amor-desejo. Seu ensinamento, como vimos no capítulo sobre a verdade, visa até mesmo a erradicá-lo. O objetivo do Buda é eliminar todo sofrimento. Já que o desejo-sede é causa de sofrimento, convém renunciar a ele de modo radical. A ascese e a prática da meditação budista visam suprimir todo desejo, toda sede, toda falta e todo apego. O amor-*eros* é, pois, identificado pelo Buda como aquilo que causa sofrimento e, por causa disso, absolutamente condenado. Porque, contrariamente a Sócrates e a Jesus, o Buda não crê na existência de um deus absolutamente bom, fonte de toda bondade, ao qual nosso desejo poderia nos conduzir e nos prender para nossa maior felicidade. Portanto, ele não vê no amor-desejo senão o apego que produz sofrimento porque fonte de insatisfação permanente. Do mesmo modo que não prega o amor-*philia*, a amizade recíproca, pois este também pode levar à infelicidade. Nosso amigo pode não nos amar mais, ou então morrer, e esses traumas (que decorrem de nosso apego) podem levar a um grande sofrimento. Todo amor-apego é, portanto, afastado pelo Buda.

Nessas condições, pode ainda existir uma forma de amor no budismo? Ou a indiferença pelo outro é aceita para que nunca se sofra? A impassibilidade seria então a virtude suprema?

Essa questão ocupou profundamente o pensamento budista durante os séculos que se seguiram à morte do fundador. Foi em torno desse ponto central que se desenvolveram muitas controvérsias, e que se produziu a principal cisão no interior da *sangha*. Para os partidários do caminho antigo, o Buda efetivamente ensinou o respeito absoluto por todo ser vivo, o que implica a recusa de matar qualquer ser sensível. O respeito para com toda vida, que se manifesta por uma não violência radical, está no princípio mesmo da mensagem budista, já que a violência está ligada ao desejo e ao apego. Pode-se então falar, na mensagem original do Buda, de um amor benevolente, *maitrî*, em sânscrito. Para se libertar do samsara e esgotar o carma negativo, o indivíduo não deve ter nenhum pensamento negativo, cometer nenhum ato malvado. Ele deve querer o bem de todo ser vivo e agir em consequência. Poderíamos dizer, porém, que ele age assim por egoísmo. É para se libertar da roda dos renascimentos que ele decide não fazer mal aos outros. Mesmo que ele aja bem para com os outros, ele persegue, antes de tudo, seu interesse pessoal. É a censura que farão aos Antigos os partidários de outra compreensão da mensagem do Buda. Estes pretendem romper esse egoísmo visceral afirmando que o respeito para com todo ser vivo deve ser compreendido num sentido mais ativo e abrangente: o da compaixão ativa universal.

Essa compaixão — *karunâ*, em sânscrito — se define como uma infinita bondade, uma capacidade de viver o sofrimento de outrem e de lhe estender a mão para ajudá-lo a sair do ciclo do samsara. Se o Theravada, o chamado caminho dos Antigos, insiste no trabalho realizado por cada indivíduo para ascender ao Despertar e sair do samsara, a maioria budista, reunida em torno do Mahayana, ou Grande Veículo, fez da compaixão a virtude principal do budismo. A partir daí, toda a literatura budista do Grande Veículo, e também a do Theravada, por sua vez fortemente influenciada ao longo dos séculos pela doutrina da compaixão, vai reler a vida e os ensinamentos do Buda na dimensão dessa virtude suprema. Pequeno detalhe histórico bastante surpreendente: foi por volta do início de nossa era, no momento em que Jesus oferece sua mensagem sobre o amor-dom, que o Grande Veículo vence decisivamente na distante Ásia budista, e que o amor-compaixão se torna o pivô do dharma.

A doutrina budista também recusa firmemente a lei de talião e prega o amor pelos inimigos: "Mesmo que te batam com a mão, com um bastão ou com uma faca, teu estado de espírito não deve mudar, tu não terás maus pensamentos, tu responderás com compaixão e amor e sem cólera alguma", ensina o Buda a seu discípulo Phagguna (*Majjhima Nikaya*, 21, 6), o que não deixa de corresponder à palavra de Jesus: "A quem te ferir numa face, oferece a outra" (Lucas, 6:29). Mas poderíamos observar que a compaixão do Buda é ainda mais universal que a do Cristo, já que é a todo ser vivo que seu ensinamento salvador se dirige. Nisso ele vai mais longe que Jesus e Sócrates, que permanecem confinados num horizonte antropocêntrico. Uma das consequências que decorrem do pensamento do Buda é um profundo respeito pelos animais e pela natureza em sua totalidade. Esse respeito, que impregna a tradição budista, não é partilhado pela tradição ocidental grega e judaico-cristã, na qual a compaixão pelo sofrimento animal está quase ausente.

Influenciadas pelas doutrinas mahayanistas, as biografias do mestre contam que, quando ele entrou em meditação sob a figueira de Bodh-Gaya, aquele que ainda não era o Buda foi assaltado pela lembrança de sua infância. Ele se instalava à sombra de uma árvore, nos jardins do pai, e observava os agricultores arando os campos sob o forte sol indiano. Ele era apenas uma criança, mas já sentia imensa compaixão tanto pelos lavradores que trabalhavam duramente quanto pelos insetos que morriam rasgados, esmagados pela pressão do arado. Essa compaixão é descrita como um sentimento de profunda empatia pelos seres violentados pela vida, pelos seres sofridos. Essa lembrança, afirmam os biógrafos do Buda, vai ser o ponto de partida do processo que o conduzirá ao Despertar e à descoberta das "quatro nobres verdades". Seus biógrafos nos dizem também que, durante toda a sua vida, o Buda se compadecerá do sofrimento de todos os seres, dando prova de bondade e de empatia mesmo para com o mais frágil broto de grama. O Buda exigirá de seus monges que eles cuidem uns dos outros, que tenham uns para com os outros a mesma atenção que mostravam para com ele. Tendo um dia chegado a um dos monastérios de sua comunidade, o Buda cruza com Putigatta, um monge velho e doente, imerso em urina e excrementos, sem que os outros monges, inteiramente entregues às suas práticas e às suas meditações, pensassem em cuidar dele: "Não faço nada pelos outros monges, é por isso que eles não cuidam de mim", disse Putigatta, quase que se desculpando pela sujeira na qual se encontrava. Ajudado pelo fiel companheiro Ananda, o Buda dá banho em Putigatta, lava sua roupa e decide tratá-lo. Depois disso, ele convoca todos os monges do monastério e os repreende pela falta de compaixão: "Não tendes mãe, não tendes pai para cuidarem de vós. Se não cuidares uns dos outros, quem cuidará de vós? Aquele que cuida de mim deve cuidar dos doentes" (*Vinaya Mahavagga*, 8, 26).

À mãe que perdeu o filho e que pedia ao Despertado para ressuscitá-lo, ele impôs uma condição: encontrar uma única família que não tivesse passado pela mesma desgraça. A mulher percorreu toda a cidade, bateu em todas as portas, em vão. E ela voltou ao Buda, pacificada: tinha encontrado junto aos que tinha cruzado a compaixão que lhe permitia superar sua infelicidade.

Seus biógrafos também contam que todos os dias, ao amanhecer, o Buda onisciente varria com o olhar a terra e todos os outros universos para saber a quem ele iria ajudar ao nascer do sol.

A tradição do Grande Veículo mostrou assim que a compaixão era a virtude suprema do dharma, e que seu desenvolvimento era o verdadeiro objetivo da prática espiritual. Por isso, mesmo para um simples iniciante no caminho, toda meditação deve se iniciar por uma intenção compassiva para com os seres sofredores. A intenção que motiva a prática espiritual deve ser movida pela compaixão. É o motivo pelo qual todo meditador desenvolve o ideal altruísta, fazendo o voto de não mais apenas libertar do sofrimento, mas também de alcançar o Despertar, a fim de posteriormente guiar todos os seres rumo à libertação última. Esse voto, ou "pensamento do despertar" (*bodhicitta*), começa assim: "Comprometo-me a libertar os incontáveis seres vivos." É por isso que o Grande Veículo tende não mais apenas ao ideal do Buda, mas também ao do *bodhisatva,* que, embora liberado das cadeias de renascimento, escolhe deliberadamente voltar o olhar para aqueles que ainda sofrem, e renascer para ajudá-los a superar o sofrimento, a exemplo do filósofo que volta para a caverna para libertar os prisioneiros da ignorância, ou do Cristo que afirma vir de Deus e ter descido à terra para dar testemunho de seu amor.

Muitas obras foram escritas pelos teólogos cristãos para saber se a compaixão budista equivalia ao *ágape* cristológico. A maioria conclui pela negativa, insistindo no caráter pessoal do *ágape,* ao contrário da doutrina budista do "não eu", que, como vimos anteriormente, considera o indivíduo um agregado provisório, sem substrato permanente. Segundo essa concepção, como amar verdadeiramente uma pessoa que não é?, perguntam-se eles. Assim, Henri de Lubac, fino conhecedor do budismo, não hesita em escrever: "O essencial, que abre um abismo entre caridade budista e caridade cristã, é que, nesta, o próximo é amado por si mesmo, enquanto naquela isso não poderia acontecer. [...] No budismo, não se pode amar em si um "eu" inteiramente ilusório, ou que se deve destruir: como então amaríamos verdadeiramente o "eu" de outrem? Não sendo levada a sério, a pessoa do outro não poderia ser objeto de um amor sério. [...] A benevolência búdica não se dirige, não pode se dirigir ao ser mesmo, mas apenas à sua miséria física ou moral."*

Esta última crítica é também a de alguns filósofos modernos que consideram que amar o outro por compaixão equivale a amá-lo somente porque ele sofre, e que, portanto, é reduzi-lo ao seu sofrimento. Nietzsche desprezava a caridade

* Henri de Lubac, *Aspects du bouddhisme* [Aspectos do budismo], I. Seuil, 1951, p. 36, 50.

cristã — "a piedade" — tanto quanto a compaixão budista. Mas creio que, no caso, se trata de uma compreensão errônea do *ágape* cristão e da compaixão budista. A "piedade cristã" tal como Nietzsche a denuncia é uma caricatura do amor-dom. É uma postura condescendente, típica da burguesia cristã do século XIX, que não tem nada a ver com o amor de que fala Jesus. Assim é que, levado pelo ódio da compaixão, Nietzsche escreveu páginas assustadoras: "Proclamar o amor universal da humanidade é, na prática, dar preferência a tudo o que é sofrido, deslocado, degenerado. Para a espécie, é necessário que o deslocado, o fraco, o degenerado, pereçam."* Não se pode ser mais anticristão e antibudista ao mesmo tempo. E isso acentua em negativo a proximidade das duas religiões em sua preocupação de proteger os fracos, de respeitar a vida, de dar valor ao amor para aqueles que sofrem. É aí também que a crítica dos teólogos cristãos mostra seus limites. Porque, se na teoria o budismo considera o sentimento de individualidade como uma ilusão, na prática, o monge e o leigo budista são convidados a amar o outro enquanto tal, já que é enquanto indivíduo consciente de sua individualidade — mesmo que se engane — que ele sofre. Basta ver nos países budistas o extremo apego dos monges aos seus mestres espirituais, suas lágrimas quando estes morrem, para compreender que o amor é, finalmente, no mais das vezes, vivido de modo tão encarnado no budismo quanto no cristianismo, quaisquer que sejam suas divergências doutrinárias.**

---

* Nietzsche, *La volonté de pouvoir*, 151. Le livre de poche, p. 166. [A vontade de poder. Trad. Marcos Sinésio P. Fernandes. Rio de Janeiro, Contraponto, 2008.]

** Remeto o leitor que quiser se aprofundar nesta questão ao excelente livro de diálogo de Dennis Gira e Fabrice Midal: *Jésus Bouddha, quelle rencontre possible?* [Jesus Buda, que encontro possível?], Bayard, 2006.

A figura maior do Mahayana é a de Avalokitesvara, o Buda da compaixão, mais conhecido no Ocidente pelo nome tibetano de Tchenrezi, literalmente, "aquele que olha com compaixão", de quem o dalai-lama seria a reencarnação.

Tive a oportunidade de encontrar uma dezena de vezes Tenzin Gyatso, o décimo quarto e atual dalai-lama, e devo confessar jamais ter sentido tamanha força de compaixão num ser humano. Narrei longamente em outra obra uma lembrança pessoal que me emocionou profundamente.* Fui testemunha, em 2002, na Índia, na residência do dalai-lama, de um encontro entre o líder tibetano e um inglês, acompanhado de seu jovem filho, que acabara de perder a mulher em circunstâncias dramáticas. Depois de ter ouvido a história daquele homem, o dalai-lama se levantou e o abraçou, assim como ao filho, chorando com eles durante longos minutos. Em seguida, quando o inglês lhe disse que se tornara budista depois de ter se decepcionado por muito tempo com o cristianismo, o dalai-lama mandou buscar um magnífico ícone ortodoxo do Cristo e da Virgem Maria, de que estava de posse. Ele o entregou ao inglês, dizendo: "Buda é o meu caminho, Jesus é o teu caminho." O homem ficou tão comovido que me afirmou depois ter recuperado o caminho da fé cristã. Esse encontro aconteceu sem fotógrafos ou câmeras. O líder tibetano não tinha nada a ganhar passando duas horas com aquele pai e seu filho, totalmente anônimos, e que ele só teria de encontrar durante poucos minutos. Ele não adotou postura alguma. Era ele mesmo: um ser humano sincero e bom que desenvolveu, durante sessenta anos de prática espiritual cotidiana, a virtude da compaixão universal pregada pelo Buda: "Que todos os seres sejam felizes. Fracos

* *Tibet, le moment de vérité* [Tibet, o momento da verdade], Plon, 2008.

ou fortes, de condição elevada, média ou humilde, pequenos ou grandes, visíveis ou invisíveis, próximos ou afastados, nascidos ou ainda por nascer, que eles sejam todos perfeitamente felizes" (*Sutta Nipata*, 118).

É com essa humilde história vivida que eu gostaria de concluir este livro. Ele é bastante sintomático do meu propósito e do meu próprio percurso. Como disse no prólogo, Sócrates, Jesus e o Buda foram meus três principais educadores. Longe de se oporem, eles sempre se relacionaram, na minha vida e no meu espírito. Cada um a seu modo, eles me deram a força de viver plenamente, de olhos abertos, em comunhão alegre com tantos outros humanos de cultura e religião diversas. Eles também me ensinaram a aceitar meus limites e minhas necessidades, mostrando-me sempre o caminho de um progresso necessário. A vida é curta, mas o caminho da sabedoria é longo!

Na visão de sabedoria de nossos três mestres, o verdadeiro e o bem coincidem. O conhecimento do verdadeiro só tem sentido se nos permite agir com bondade. É por isso que a mensagem do Buda, de Sócrates e de Jesus é, em última instância, uma mensagem ética. Uma vida bem-sucedida é uma vida que pôs a verdade em prática. Daí vem a importância de seus testemunhos pessoais: se marcaram gerações de homens e de mulheres, e se ainda são tão críveis aos nossos olhos, é porque eles puseram seus ensinamentos em prática. Eles deram testemunho por seus atos da pertinência da mensagem deles. E o que mais importa para eles é a transformação de seus ouvintes. Suas palavras, confirmadas por suas vidas, devem produzir uma transformação no pensamento e no coração daqueles que os ouvem. Ela deve produzir, retomando-se a expressão do Cristo, "fruto", e levar os discípulos, próximos ou distantes, a melhorar, a viver de modo diferente. É o motivo pelo qual eu os defino como nossos "mestres de vida". Eles nos educam e nos ajudam a viver. Não sugerem uma felicidade "pronta para o uso", mas resultado de um verdadeiro aperfeiçoamento pessoal. Eles falam mais de alegria que de prazer. São guias exigentes, parteiros benevolentes, eternos motivadores do despertar.

Agradecimentos

Agradeço imensamente a Djénane Kareh Tager por sua preciosa ajuda no trabalho de preparação deste livro. Sem seu apoio e sua perseverança, esta obra não teria sido publicada tão cedo! Um grande agradecimento também a Leili Anvar, que releu com perspicácia, generosidade e vigilância. Por fim, um pensamento amigo para Susanna Lea e para toda a equipe, bem como para meu editor, Claude Durand, que publicou meu primeiro livro há vinte anos.

Site do autor:
www.fredericlenoir.com

Bibliografia

Sócrates

Anthony, Gottlieb: *Socrate*, Seuil, 2000.
Duhot, Jean-Noël: *Socrate ou l'Éveil de la conscience*, Bayard, 2000.
Festugière, André-Jean: *Socrate*, La Table Ronde, 2001.
Grimaldi, Nicolas: *Socrate, le sorcier*, PUF, 2004.
Hadot, Pierre: *Éloge de Socrate*, Allia, 1998.
Lindon, Denis: *Socrate et les Athéniens*, Flammarion, 1998.
Mazel, Jacques: *Socrate*, Fayard, 1987.
Romeyer Dherbey, Gilbert (dir.) e Gourinat, Jean-Baptiste (éd.): *Socrate et les socratiques*, Vrin, 2000.
Thibaudet, Albert: *Socrate*, CNRS éditions, 2008.
Vernant, Jean-Pierre: *Les origines de la pensée grecque*, PUF, 1962.
Vlastos, Gregory: *Socrate, ironie et philosophie morale*, Aubier, 1991.
Wolff, Francis: *Socrate*, PUF, 2000.

Jesus

Goguel, Maurice: *Jésus*, Paris, 1950.
Klausner, Joseph: *Jésus de Nazareth*, Payot, 1933.

Lenoir, Frédéric: *Le christ philosophe*, Plon, 2007, Seuil, « Points », 2009.
Léon-Dufour, Xavier: *Les miracles de Jésus selon de Nouveau Testament*, Seuil, 1977.
Meier, John P.: *Un certain juif, Jésus* (4 volumes), Cerf, 2004 e 2005.
Schlosser, Jacques: *Jésus de Nazareth*, Noesis, 1999.
Stanton, Graham: *Parole d'Évangile ?* Cerf-Novalis, 1997.

Buda

Armstrong, Karen: *Buda, Objetiva, 2001.*
Bareau, André: *Bouddha*, Seghers, 1962.
Droit, Roger-Pol: *Les philosophes et le Bouddha*, Seuil, 2004.
Foucher, Albert: *Vie de Bouddha d'après les textes et les monuments de l'Inde*, Librairie d'Amérique et d'Orient Jean Maisonneuve, 1993.
Rachet, Guy: *Vie de Bouddha*, trechos do Lalitavistara, Librio, 2004.
Rahula, Walpola: *L'Enseignement du Bouddha d'après les textes les plus anciens*, Seuil, 2004.
Rinpoché, Kalou e Teundroup Denis: *La voie du Bouddha selon la tradition tibétaine*, Seuil, 2000.
Sami, Dhamma: *La vie de Bouddha*, Seuil, 2001.
Wijayaratna Mohan: *Les entretiens du Bouddha*, Seuil, 2001.
__________: *Sermons du Bouddha* (traduction intégrale de 20 textes du canon bouddhique), Seuil, 2006.

Estudos comparados

Bréhier, Émile: *Hisoire de la philosophie*, Félix Alcan, 1928.
Comte-Sponville, André: *Petit traité des grandes vertus*, PUF, 1995, Seuil, « Points », 2006. [Pequeno tratado das grandes virtudes. Trad. Eduardo Brandão. São Paulo: Martins Fontes, 2007.]

Eliade, Mircea: *Histoire des croyances et des idées religieuses* (3 volumes), Payot, 1990).

Ferry, Luc: *Apprendre à vivre,* Plon, 2007. [Aprender a viver. Trad. Véra Lucia dos Reis. Rio de Janeiro: Objetiva, 2007.]

Gira, Dennis e Midal Fabrice: *Jésus Buddha, quelle rencontre possible?,* Bayard, 2006.

Jasper, Karl: *Les Grands Philosophes, Socrate, Bouddha, Confucius, Jésus*, Pocket, 1989.

Lenoir, Frédéric: *Petit traité d'histoire des religions*, Plon, 2008.

Lenoir, Frédéric e Tardna-Masquelier Ysé (dir.): *Encyclopédie des religions*, Bayard, 1997.

Trich, Nhat Hanh: *Bouddha et Jésus sont frères*, Pocket, 2002.

Vallet, Odon: *Jésus et Bouddha, destins croisés du christianisme e dou bouddhisme*, Albin Michel, 1999.

1ª EDIÇÃO [2011] 4 reimpressões

ESTA OBRA FOI COMPOSTA PELA ABREU'S SYSTEM EM ADOBE GARAMOND
E IMPRESSA EM OFSETE PELA LIS GRÁFICA SOBRE PAPEL POLÉN SOFT
DA SUZANO S.A. PARA A EDITORA SCHWARCZ EM JULHO DE 2021